愛がいない部屋

石田衣良

集英社文庫

愛がいない部屋　目次

愛がいない部屋

空を分ける

金属で縁どりされたガラスの自動扉が、目のまえで音もなく割れた。曇りひとつないクロームに細く映りすぎていくのは、いつもよりていねいに化粧された顔だ。川本梨花《りか》は見慣れた自分の顔を他人のように眺めた。すこし頬が赤くなっている。チークのせいばかりではなかった。新しい物件と新しいルームシェアのパートナー。どちらのためにメイクアップは普段より倍の時間を要したのだろう。

大理石を打つヒールの音をききながら、ロビーをすすむ。右手にはオープンカフェと本屋と花屋、左手にはファミリーレストランとコンビニエンスストアが見えた。不動産屋から送られてきた図面のとおりだった。午前中の早い時間なので、どの店も閑散としていた。カフェのまえにならぶ日傘のテーブルの端に、赤いストールを巻いた小柄な老女がひとり座っているだけである。かすかに微笑《ほほえ》んで、ロビーの広がりに目を送っていた。背中に板をいれたようにただしい姿勢である。

梨花は一階中央の広場に目をやった。高さ百メートルはある吹き抜けの屋根は、半透明のガラス製で、まぶしい日ざしが内廊下の断崖をななめに照らしている。一段明るい光のなかにル・コルビュジエのソファが数組、距離をとっておかれていた。グランコンフォール。おおいなる快適という名前の、金属パイプのフレームに革クッションをはめこんだソファである。色はよく見る黒ではなく、白のなめし革だった。

「おはようございます」

アルマーニのパンツスーツを着た女性が、ソファから立ちあがり声をかけてきた。不動産会社の営業、稲葉成美《なるみ》だった。若く見える四十代で、指に光るのは細かな傷で曇ったカルティエの三連リングである。成美はバブルの全盛期からずっとこの仕事をしてきたという。ちらりと梨花の顔を見ていった。

「お連れのかたはまだでしょうか」

「ええ、今日はここで待ちあわせしているんですけど」

腕時計を確かめた。約束の十時を五分すぎている。思いついてきいてみた。

「ルームシェアをする人はめずらしいんですか」

ベテランの営業ウーマンは、図面のはいったファイルを開いた。

「このところ増えてきてはいます。でも、異性で部屋をシェアするのは、まだめずらしいですね」

日焼けした顔をあげて、梨花のほうを興味深そうに見つめた。自分でもなぜ友人から紹介されただけの男性といっしょに住む気になったのか、よくわからなかった。ルームシェアを一度試してみたかったのは確かだが、相手は自分と同年代、二十代後半の女性がいいと思っていた。だが、彼と最初に会ってから気もちが変わった。すこし冒険してみる気になったのである。梨花は結婚式の直前に婚約者と別れてから三年、まったく恋人はいなかった。

おとなの背の倍ほどある自動ドアを抜けて、武田博人《ひろと》が小走りにやってきた。

「遅くなりました。深夜残業で、今朝は寝すごしちゃって」

オフホワイトのコットンパンツは細身で、背の高い博人が大股で歩くと、脚の線がきれいだった。紺のジャケットのしたには、目の覚めるようなブルーのVネックセーターを、たぶん素肌に着ている。

黒いスーツの営業ウーマンは博人を見て、いたずらっぽく梨花に微笑みかけてきた。別につきあっているわけではない。ただ同じ部屋を分けて暮らすだけである。梨花は博人にガールフレンドがいるかどうかさえ知らなかった。それでも成美の思わせぶりな視線を、梨花は誇らしく感じていた。黒いファイルを音を立てて閉じ、不動産会社の女はいった。

「では、メゾン・リベルテ神楽坂をご案内します。こちらにどうぞ」

同居予定の男女は黒いスーツのあとを、すこし距離をおいて周囲を見まわしながらついていった。

エレベーターホールは壁も床も白い石張りだった。暗い金属の扉が四つならんでいる。成美の声は高い天井によく響いた。

「このマンションは二年まえに竣工しました。計画段階では、地元の住民から超高層への反対運動がありましたが、今では問題なく周辺住民とスムーズにいっています」

扉が開くとエレベーターの奥は鏡張りだった。防犯対策だろうか。

「どうぞ」

ボタンを押したまま成美がいった。階数表示がつぎつぎと点滅しながら、操作盤を駆けあがっていく。梨花は息をのんで、耳抜きをした。こんな贅沢なマンションに住めるのも、割安なルームシェアのおかげだ。梨花ひとりではとても手のでる物件ではなかった。建物の案内は続いている。

「当初の計画では地上四十三階建てでしたが、話しあいの結果、地上三十三階となり、公開緑地を多くすることで落ち着きました。最上階は展望室と来客用の宿泊施設などです。ほとんどは分譲ですが、賃貸物件もいくつかあります」

エレベーターは十九階で停止した。中央の吹き抜けを内廊下が四角くかこんでいた。博人は手すりから顔をのぞかせ、したを見おろしてから、ガラスの屋根を見あげた。梨花も同じようにする。遥か下方に放射状に大理石の組まれた明るいロビーが落ちていた。

博人はのんびりという。

「うえを見ても、したを見てもきりがない。なんだか、このマンションだけでひとつの街みたいだ。ぼくたちは中の上くらいのところに住むんだな」

梨花はうなずいて博人の横顔をそっと見つめた。広告代理店のクリエイターがどんな仕事をするのかよくわからないが、ものをつくる人の細やかな神経を感じさせる横顔だった。廊下の先から成美が声をかけてくる。

「こちらです。どうぞ」

部屋番号は１９１７号室だった。梨花は贅沢な共有部分から、ため息のでるような室内を想像していたが、ドアのなかは案外普通のつくりだった。ロビーと同じ大理石は張ってあるが玄関は狭く、まっすぐ奥に延びる廊下も余裕たっぷりというわけではなかった。不動産会社の女は、天井まで届くシューズクローゼットを開けて、配電盤のブレーカーをあげた。先に立って部屋にあがり廊下をすすんでいく。図面に目を落としていった。

「廊下の左右に個室がひとつずつあります。六畳と変形の七畳で、どちらも大容量のクローゼットがついています。全部で六十平米ちょっとの２ＬＤＫになります」

博人と梨花はドアを開けて室内を確かめた。どちらの部屋も窓は吹き抜け側にあいているので、それほど明るくはなかった。天気の悪い日には昼間でも照明が必要だろう。

廊下の先はオープンキッチンがついたリビングだった。十三畳ほどはあるだろうか。家具がなにもないと、奇妙に広く感じられた。

成美は黒いファイルをカウンターにおいて、自信ありげに手を腰にあてていた。梨花はリビングにはいったとたんに、正面の窓に目を奪われた。床から天井まで届く背の高いサッシのむこうに、東京の空が広がっている。灰を混ぜたように濁ったあたたかな春の空だった。

梨花はサッシを全開にして、バルコニーにでた。足元には厚い土ぼこりが溜まっている。手すりのむこうは、都心の風景だった。パセリのようにケヤキ並木を散らした神楽坂は、この高さから眺めると確かに急な坂道なのだとわかった。飯田橋の掘割は重く苔《こけ》色に沈んでいる。そのむこう側はどこまでも続くガラスとコンクリートのまぶしいビル群だった。

博人が梨花の横にやってきた。

「すごくいい景色だな。ぼくはここが気にいったけど、川本さんはどう思う」

梨花はぼんやりと空を見あげ考えていた。わたしにも幸運がめぐってきたのかもしれない。こうしてそう悪くはない男性とつま先立ちして、十九階のバルコニーにならんでいるのだ。春の風はやわらかにふたりのあいだを抜けていく。この空を誰かと分けあえるなんて、ひどく素敵なことに思えた。

「わたしのほうはぜんぜん問題ないです」

博人はうなずいて、にこりと笑った。

「じゃあ、ここで決まりだね。今すぐに押さえておかないと、今日の午後には別な誰かにとられちゃうと思うよ」

不動産屋の名を呼びながら室内にもどる博人を、梨花はバルコニーから見送った。なにかが始まろうとしている。その予感だけで、こんなにしあわせな気もちになる自分が、梨花はおかしかった。自分にもまだまだかわいいところがあるものだ。


手続きと審査はその週のうちに終了した。博人の広告代理店も、梨花の法律専門の出版社も名前のとおった会社だったので、まったく問題はなかった。週末には早速引越しが始まっている。

梨花はひとり暮らしで、荷物はそれほど多くはなかった。軽トラック一台で、なんとか積めるくらいの分量である。運びこむだけなら、二時間ほどですんでしまった。博人はかなりのものもちで、二トン積みのパネルトラックからあふれた荷物は、友人から借りたというワゴン車を満杯にした。

たくさんのＣＤと仕事用だという大判の写真集、それにダイニングテーブルのセットやひとり掛けのソファまであるのだ。梨花は六畳の自分の部屋で、衣類を主に片づけるだけでよかったが、博人の荷物の整理は深夜までかかった。

リビングは博人の提案で、ブックカフェのように飾ることになった。壁いっぱいを占めるオープンシェルフに、すきまをあけて本や小物をならべていく。博人は書籍のほかは古い型のカメラや万華鏡などが好きなようだった。

梨花は疲れきっていたが、リビングの隅で段ボール箱に埋まっている同居人に声をかけた。

「わたし、紅茶いれるけど、武田さんものまない？　ひとり分をいれるより、ふたり分のほうがおいしいんだけど」

博人が段ボールのむこうで顔だけのぞかせた。

「いいねえ。いくらやってもきりがないから、今夜は終わりにするよ」

腕まくりをした博人がダイニングテーブルにやってきた。腕の血管は青い稲妻のように細く締まった手首にむかって走っている。梨花はポットを運びながらいった。

「レモンもないし、アールグレイだからストレートでいいよね」

博人はうなずいて、自分のカップに大さじ二杯の砂糖をいれた。息を吹いて冷ますと、ひと口で半分ほどをのみきってしまう。

「あーあ、甘さが身体《からだ》に染みるなあ。普段めったに肉体労働なんかしないから、明日はひどい筋肉痛になると思う。ところでさ……」

博人がうわ目づかいに梨花を見つめてきた。まだ最初の夜なのだ。梨花は平静さを装って返事をした。

「え、なあに」

「ぼくたちはきちんとルームシェアのルールを決めるまえに、いっしょに暮らし始めてしまったね。いい機会だから、ふたりのあいだの同居の規則を決めておこう」

そうなのだった。あまりにいい物件が見つかってしまったものだから、ルームシェアは勢いで急に始まってしまったのである。ふたりはまだおたがいのことを、ほとんど知らないままだった。博人はいう。

「まず最初に、異性の友人をこの部屋には連れてこない。連れてくる場合は、相手の了解をとる。ここはふたりの生活の場で、ラブホテルじゃないからね。これは、いいかな」

梨花はうなずいた。自分には連れこめるようなボーイフレンドはいなかったから簡単である。博人はどうなのだろうか。梨花は自分の心に浮かんだ疑問を無視していった。

「異性だけでなく同性でも同じにしよう。たまにワイワイするのもたのしいけど、気分じゃないときもあるから」

了解といって博人は続ける。

「風呂はそれぞれ沸かして、つかいきりにする。ぼくは一年中ほとんどシャワーだけだから、浴槽はあまりつかわないと思うけど、つかったらあとで簡単に掃除しておくこと」

梨花は男性の同居人のいる部屋で入浴することを考えた。今夜だってきちんと風呂にはいらなければ、汗くさくて眠れないだろう。ルームシェアというのは、不思議にドキドキすることが多いものだ。博人がいった。

「食事は別々で勝手にすませる。ぼくは仕事で夜遅いし、ほとんど外食だから、キッチンはお湯を沸かすくらいしかつかわないと思う。キッチンとかリビングとかトイレとか、共有部分の掃除は、一週間ごとに交代でやることにしよう」

梨花はゆっくりと紅茶をのみながらいった。

「ねえ、この部屋のカーテンはどうする？　フローリングにもなにかラグみたいなものを敷いたほうがいいと思うんだけど」

バルコニーの外には高層ビルの夜景が広がっていた。夜は夜で、また違った硬質な美しさが東京にはあった。これだけの街の灯をつけるために、どれだけのエネルギーがつかわれているのだろうか。贅沢はきれいだと梨花は思った。

「そうだな、やっぱりリビングなんかは、ふたりでいっしょに買いものにいかなくちゃダメだろうな。面倒だから、明日の午後にでもインテリアショップにいって決めてしまおう」

梨花はそっけなくうなずいたが、内心ではたのしくてハミングしたい気分だった。男性といっしょにカーテンや家具など家のものを見るのが、大好きだったのである。

「じゃあ、今日はわたしが先にお風呂にはいってもいいかな」

博人はうなずいていう。

「ぼくはもうちょっと片づけをしてからにする」

梨花はダイニングチェアから立ちあがり、廊下とリビングの境にあるガラス格子のドアに手をかけた。振りむいていう。

「武田さん、わたし、ルームシェアって初めてだけど、今日からよろしくお願いします」

博人は段ボールの山のなかから手の先だけ伸ばして、梨花にひらひらと振って見せた。

「いや、こっちこそ、よろしく。おやすみ」

「おやすみなさい」

梨花は心をこめてそういうと、うしろ手にドアを閉め、自分の部屋まで三メートルほどの廊下を踊るようにわたった。

日曜日の午後、博人と梨花は新宿三丁目にあるインテリアショップに足を運んだ。北欧家具の品ぞろえがよく、普通のところよりすこし高価だが、趣味のいい店である。ふたりでカーテンの見本を開け閉めしていると、女性の店員がやってきていった。

「いらっしゃいませ。ご新居用ですか」

博人は生地見本の台帳をのぞきながらいった。

「ええ、新しいマンションに越したんで、カーテンが必要になって」

「今はマンションも買いどきですよねえ。カップルでお仕事をしていたら、ローンもすぐに返せますし」

店員はふたりを見て、とも働きの若い夫婦と間違えたようだった。梨花はまんざらでもない気分だったが、博人がきっぱりといった。

「違いますよ。彼女とぼくはルームシェアをしてるだけの同居人で、別に関係なんてないんです。リビングにカーテンがないから、ただ買いにきただけです」

そんなにあわてて、否定しなくてもいいのに。梨花はしかたなく、うなずいてみせた。

三十代の前半にみえる店員は、ぱっと顔を輝かせた。

「ルームシェアですか。わたしもやってみたかったです。それも異性の人とするなんて、素敵ですね。わたしはもう結婚しちゃったから、一生できないと思うけど」

そこから三人の話ははずんだ。店員はうらやましげに梨花にいった。

「やっぱりルームシェアするなら、どっちかですよねえ」

意味がわからずに黙っていると、梨花の耳元で囁く。

「恋愛対象になるくらい自分のタイプの人か、あるいはまったくその気にならない安全なタイプか」

それは梨花がルームシェアを決めるまえに考えていたことと同じだった。女の考えることは、誰でもいっしょなのだろうか。博人はとなりのブースにある敷物を見ていた。店員は博人に目をやってから、梨花にうなずいてみせる。

「お連れさまはどちらでしょう」

梨花は今度はなにもいえずに苦笑するだけだった。


カーテンはお堀にあうように緑色の組みあわせに決まった。淡いグリーンのレースと厚手の深緑の遮光タイプである。ラグは落ち着いたサンドベージュで、博人がもってきたアンティークのダイニングセットとぴったりだった。

買いものに疲れたふたりは、近くのカフェでひと休みすることにした。日曜日の新宿はどの店もたいへんな混雑である。空席を見つけたのは裏通りのビルの二階にあるカフェだった。梨花はたくさんのカップルがゆきかう歩道を見おろしていた。穏やかに晴れた四月の終わりである。

昔つきあっていたボーイフレンドにいうように、梨花は自然に話しかけていた。

「これから、どうするの」

博人は腕時計を見た。

「そうか、こんな時間か。ぼくは人に会う約束があるから、もういくよ。川本さんのセンスがよくてよかった。派手な花柄とかがいいといわれたら、どうしようかって思っていたんだ」

ほめられても梨花はちっともうれしくなかった。この人はただの同居人で、ボーイフレンドでも恋人でもないのだ。日曜日に予定があるのは三十歳近い男性なら当然のことだろう。コインをおいて去っていく博人の背中を見送って、梨花は時間を確かめた。

午後三時十五分まえ。もうすぐ梨花の一番嫌いな時間がやってくる。ひとりきりですごさなければいけない日曜日の夕方である。

こうなったら、新しい部屋を飾る雑貨をたくさん買おう。ほとんどの女性と同じで、梨花のストレス発散には、ショッピングが効果的なのだった。もちろんそれが万能の特効薬ではないことを、梨花はとうに気づいていた。

ショッピングだって、ひとりよりはふたりのほうがずっといい。

その日は博人がもどってからたべるかもしれないと思い、得意の中華をいつもより多めにつくった。ピリ辛のチンジャオロースーに、レタスと牛肉のチャーハン、スープは白魚と玉子の白湯《パイタン》スープだった。

梨花は博人を待たずにひとりでたべた。夕食の帰りを待たれたりしたら、それこそ負担に感じるだろう。残りの皿はラップして冷蔵庫にいれておく。ちいさなメモをつけるのを忘れなかった。ちょっとつくりすぎちゃったから、お腹が空いているならどうぞ。

その夜、博人がもどってきたのは真夜中をすこしすぎたころだった。日が沈んでから急に風が強くなっていた。空気も冷えこんでいる。梨花はベッドにはいったまま十九階の窓の外を吹き荒れる風の音をきいていた。

玄関の鍵がそっと開いたのは、梨花があきらめて眠ろうとしたときである。博人は足音を殺して、ゆっくりと廊下にあがった。

「おかえりなさい」

梨花が声をかけると、気配で博人が驚いたのがわかった。

「……まだ、起きていたんだ。ただいま、それに、おやすみなさい」

男の足音が廊下の奥にゆっくりと去っていく。春の嵐のなかでさえ、その音はひどく鮮明にきき分けることができた。

つぎの朝から、日常の生活が始まった。梨花の会社は九時始業で、博人が家をでるのは十時ごろだった。ほとんど定時に勤務が終わる梨花にくらべると、博人の残業は想像を超えた量だった。最長では月に二百時間をうわまわったこともあるという。夜十一時まえに部屋にもどることはめったになかった。逆に仕事で朝方タクシーで帰ってくることはちょくちょくある。

ウィークデイのあいだ博人とほとんど顔をあわせないことが、一週間して梨花にはよくわかった。これでは世のとも働き夫婦が週末しか話ができないというのも納得できる。依然として日本の男たちはよく働いているのだ。

肝心の休日にも博人の顔を見る機会はなかった。博人は土曜日は足りない睡眠時間の埋めあわせで、ほとんど横になっているし、日曜日には午前中にでかけて深夜までもどらないからである。

気がかりはひとつだった。

博人が日曜日に会っているのが、ステディの女性なのかどうかということである。ガールフレンドはいるのかと、博人にひと言きけばすむのだが、それは梨花にはとてもできない質問だった。

ふたりのあいだでは、異性についての質問はタブーになっていて、慎重かつ徹底的に避けられていた。象の檻《おり》のなかで暮らしながら、象の話を決してしないようなものだった。不自然といえば、これほど不自然なこともなかったけれど、梨花は自分からそこに踏みこんでいくことは絶対にできなかった。

自分は小学生のころからまったく変わっていない。恋に進歩なんてありえないのだ。

梨花は気になる男子には、そんな素振りなどかけらも見せずに、じっと待ち続けるタイプだった。

いったん生活が安定すると、時のたつのは早かった。あたたかすぎた春は、ぎらぎら焼けつく初夏になった。博人はTシャツ一枚にデイパックを背負って出勤している。博人の身体には贅肉の予兆はなかった。身体の線にあったタイトなシャツと派手なオレンジ色のデイパックが無理なく似あう三十歳は、この東京でさえそうはいなかった。

梨花はルームシェアの効用を実際に試して、ようやく理解できたと思った。ひとりでは手がだせないような高級物件に住めるだけでなく、誰かがそばにいるという安心感があるのだ。離れていれば苦しいはずの片思いが、同居人ならずっと軽くなるのだった。

梨花は季節が変わっても、ゆっくりと待ち続けた。待つことは苦にならなかった。仮に博人に恋人がいたとしても、いっしょにいる時間は梨花のほうがずっと長かったのである。

博人の生活に突然の変化が生まれたのは七月終わりのことだった。平日の残業は変わらなかったが、いつもなら昼食をとらずに外出する日曜日にだらだらと部屋に残っていることが多くなった。

気分もふさいでいるようで、でかけるにしても近くの本屋やレンタルビデオ店をのぞくくらいで、すぐにもどってきてしまう。いらいらしてくつろがない様子の博人を、梨花は内心よろこんで眺めていた。

すっかり日曜日の外出がなくなった三週目、梨花は東南アジアのガイドブックを読んでいた博人に声をかけることにした。十九階から飛びおりるくらいの決意が必要だったが、こんなとき梨花はいつだって芝居がうまかった。キッチンから背中越しにいう。

「わたし、夕ごはんつくるけど、武田さんもたべる？　ひとり分つくるのも、ふたりもいっしょだよ」

博人は本から目をあげて、いいねといった。それは梨花がおとなになってからきいた最高の「いいね」だった。神楽坂うえのスーパー、キムラヤであらかじめ食材をたっぷりと仕こんでいたのだ。手づくりのエビの蒸しギョウザ、ザーサイと黄ニラと豚ひれ肉の牡蠣油炒め、中華風の豆腐サラダ。つまみに甘酢漬けの御新香も用意してある。

四十分後、ちいさな屋根が残らずオレンジ色に照り映える神楽坂の街を見おろしながら、ふたり初めての夕食が始まった。エビはぷりぷりと甘く、ひれ肉は歯にふれるだけで崩れていった。なによりたのしかったのは、博人とたくさんの話ができたことだった。

博人は家庭用洗剤のテレビＣＦの歌をうたってみせた。一度耳にしたら忘れられない単純なかわいいメロディで、かなり話題になったものだ。

「あれは作詞も作曲もぼくがやったんだ」

「へえ、すごいね」

缶ビールを空けた博人は上機嫌だった。

「そっちもすごいよ。料理上手なんだな、川本さん。そうだ、ちょっとのみ足りないから、このあとで近くのバーにいかないか。いい店見つけたんだ」

梨花があと片づけはいいといったのだが、博人は自分からすすんで、食器をキッチンに運んでくれた。もっとも食器洗い機のつかいかたがわからなかったので、洗剤のいれかたやよく汚れが落ちる食器のいれかたなどは、梨花がやって見せなければならなかった。

地上におりたときは夜八時すぎだった。夏祭りが近いのだろうか、街灯を結んだ提《ちよう》灯《ちん》が揺れながら、坂の遥かしたまで連なっていた。新たに改装された石畳は、どこかヨーロッパの街のように端正な表情である。坂を吹きあがってくる夜風は、まったく抵抗を感じないほどやわらかで、ただ肌の表面を冷ましてとおりすぎていくだけだった。

博人と梨花は肩をならべて坂をくだり、ビルのすきまの小路に折れた。黒板塀が続いて、どこからともなく三味線の音が風にのって届いた。博人はいう。

「神楽坂は古くからの歓楽街だから、料亭や割烹のいい店はけっこう残っている。だけどそれだけじゃなくて、イタリアンやフレンチでもいいレストランがたくさんあるんだよ。もちろん大人の街だ、いいバーもたくさんある。ここだよ」

和紙のスタンドを路地にだした一軒家だった。外から見た印象では、築百年はゆうに超える古民家である。引き戸をすべらせ、博人が先にはいった。室内はようやくものの輪郭がわかるほどの暗さだった。Ｌ字型のカウンターには先客がひと組だけ。女性のほうが二十歳は若い不倫のカップルだった。カウンターの正面は巨大なピクチャーウインドウで、青い照明に日本庭園が浮きあがっている。天国に庭があるならこんな冷たさかもしれないと梨花は思った。

博人はバーボンのオンザロックを、梨花はグラスのシャンパンを頼んだ。ちいさく乾杯して、梨花はいった。

「ほんとに隠れ家っていう感じ。こんなバーが歩いてすぐのところにあったんだ」

博人はひと息でオンザロックをのみほすと、影のようなバーテンダーに同じものを注文した。新しいグラスのなかをのぞきこんでいう。

「こっちは最悪だ。このまえ彼女と別れたんだ」

男はあっさりと一番大切なことをいった。博人は梨花にとって、いつだって予測不可能だった。梨花は心のなかで歓声をあげたが、静かにシャンパンに口をつけた。唇に残ったアルコールをなめていう。

「この何週間か、荒れていたから。なんとなく想像はしていた」

博人はあまり梨花の話をきいていないようだった。

「女はわかんないなあ。もう四年もつきあって、このままいけば結婚するのかなあなんて思っていたら、いきなり別れたいといわれた。まあ、今回のルームシェアのことも原因のひとつではあるんだけど」

意味がわからなかった。視線だけで先をうながす。

「彼女がルームシェアのパートナーにあわせてくれって、うるさかったんだ。だけど、川本さんに紹介するのは面倒だった。無理やり会わせるなんて、最初に決めたルールに反するしね。彼女は一階にあるカフェでずっと張りこんでいたりしたらしい。きみのことも知っていたよ」

こちらが静かに待っているあいだに、そんなことがあったのだ。博人は二杯目を空けて、注文を繰り返した。

「彼女に問い詰められて、口をすべらせてしまった。ぼくはひとりの人をそんなに深く愛せるような人間じゃない。一生ひとりの女性に忠誠を誓えるような立派な男じゃない。ぼくは愛とかほんとうは苦手なんだ。愛なんていったいなんだろうと思うよ」

梨花の心は半々に裂けていた。愛が苦手だと口にする博人は確かに正直で誠実そうだ。同時に一面からしか恋愛を考えられない根の浅い男にも思えた。

「そう」

「ぼくは最低だよ。そういったら、彼女の顔から表情がなくなったから。その場に座ったままどんどん遠くにいってしまう。別れたいといわれたのは、つぎの週末だった」

ただあこがれだけでなく、誰かを好きになる感覚が、梨花のなかにようやくもどってきた。ひとりの人間とむきあえば、必ず気になるところ、見たくないところがでてくるものだ。それは遠くからあこがれているだけでは、決して見えてこないものだった。その意味では、そのとき梨花にとって博人は初めて生身の存在になったのかもしれない。チーズや生ハム（イタリアから空輸したという朱色のハムはとてもおいしかった）をつまみながら、博人と梨花はそのバーでつぎの二時間をすごした。

十九階でエレベーターをおりたのは、夜十一時近くだった。内廊下に人影はない。酔っ払った梨花と博人は、もつれるように歩いていた。ドアの鍵を開けながら博人がいった。

「明日からまた仕事か、もう嫌になってきたなあ」

梨花はおおきな背中にいう。

「じゃあ、面倒なこと全部捨てちゃって、どこかに逃げちゃおうか。武田さんとならわたしもいっしょにいきたいな」

酔った勢いで、梨花は自分でも大胆だと思う言葉をいった。金属の扉が開くと、自動的に玄関の明かりが灯る。博人がつぶやいた。

「いいなあ、それ。全部捨てちゃうんだ」

今しかない。梨花はとっさに思った。スイッチを押して明かりを消すと、博人の背中にもたれるように抱きついた。薄いTシャツのしたで背中の筋肉が硬くなるのがわかる。梨花はかすれた声でいった。

「わたしはいいよ。捨てちゃっても」

博人は動かなかった。背中は硬いままで、なんの反応ももどってこない。思いきって行動を起こしたのだが、なにかとんでもない間違いを犯してしまったのだろうか。さっきまではすごくいい雰囲気だったのに。

「川本さん、ぼくはやっぱりそういうの苦手みたいだ」

博人は肩にのせられた梨花の手をそっとはずした。

「ちょっとほしいものがあるから、したのコンビニにいってくる。先に寝てくれていいから。今夜はたのしかった。おやすみ」

ちいさなつむじ風のようにその場でターンして、博人はでていってしまった。梨花がようやくおやすみなさいといった相手は、閉まりかけた金属の扉である。

そのままサンダルを蹴るように脱いで、ふらふらと廊下をリビングにむかった。網戸をあけて、裸足でバルコニーにでる。十九階の風が梨花のサマードレスの裾を乱してすぎていく。星のない東京の夜空が目のまえいっぱいに広がっていた。

ため息さえつけずに、棒のようにまっすぐ硬直して、梨花は夜の空に対していた。勇気を振りしぼっても、博人は受けとってくれなかった。この空をふたりで分けることは、結局できなかった。明日からは、ほんとうにただのルームメイトにもどるのだ。

きっと博人は夜中すぎまで帰ってこないだろう。梨花は汚れた足のまま部屋にもどり、風呂を沸かすために清潔なバスルームにむかった。

魔法の寝室

どんな高さから見ても、雨の空はやはり雨の空だった。ソファに座り、サッシ越しに眺めていると、ガラスは一枚の灰色の板のようだ。奥ゆきも広さも高さもない。その灰色の板に細かな銀の傷がついて、雨が静かに降っている。

光本麻耶《みつもとまや》は胸にクッションを抱えて、二十五階の空を見つめていた。自分はなぜここにいるのだろう。クロス張りの壁から接着剤のかすかな刺激臭がした。引っ越したばかりの新築マンションである。それでもとりたててうれしいとは思わなかった。麻耶は人からいつもぼんやりしているといわれるのだ。

だが、麻耶にすれば周囲の人たちの反応のほうが異常だった。どうしてあんなにつまらないことで、おおげさによろこんだりかなしんだりできるのか。それほどの変化が毎日の生活のなかにあるのだろうか。麻耶にはほとんどの人間が、司会者の冗談に手をたたいて必死に笑うテレビタレントのように見えた。お決まりの反応を繰り返す空っぽのロボットだ。世界は無数のお約束でできている。

このマンションにしても同じだった。神楽坂の坂うえに建つ超高層物件というが、なかにはいってしまえばよそのマンションとまるで変わらなかった。ごくあたりまえの3LDKである。それでも夫の真治《しんじ》のサラリーでは、とても手のだせる価格ではなかった。真治が働くのは業界中位の印刷会社で、さして給料はよくないのだ。麻耶の父が住宅ローン十年分の援助をしてくれたおかげで、なんとかこの場所に住むことができたのである。

もっとも一キロほどしか離れていない早稲田鶴巻町の一軒家で暮らす父と母は、ひとり娘の麻耶を埼玉や千葉のマンションに住まわせたくはなかったのだろう。ふたりとも新宿区で生まれ育って、ほかの場所では暮らしたことがない。スープの冷めない距離がいいとはいうけれど、神楽坂への散歩の途中でふらりと立ち寄れる娘の住まいは、ふたりにとっても理想的だったのだろう。孫の顔が早く見たいというお小言はうるさかったが、顔をだすたびにこづかいをおいていってくれる両親に、麻耶は素直に感謝していた。

時間は中途半端な午後だった。昼でも夕方でもない、一日の真空のときである。お手軽な主婦むけのテレビ番組を見る気にはなれなかった。麻耶はお気にいりのクッションを胸に抱いて、雨雲に塗りこめられた空を見つめていた。退屈なときは退屈なままでいる。それが麻耶の時間の潰しかただった。

真治が帰ったのは、その日も夜十一時近かった。結婚して六年になるが、麻耶は週末以外ほとんど夫といっしょに夕食をとったことはなかった。

「ただいま」

疲れているはずなのに、玄関から張りのある声がする。麻耶は嫌な予感がした。廊下をまっすぐにリビングにむかってくる足音がはずむようだ。スリッパのぺたぺたと濡れた音は、なんとかならないものだろうか。

「お帰りなさい」

「おう」

どこかで軽くのんできたのだろう。真治はかすかに赤い顔をしていた。汗にはビールのにおいがする。夫はソファに座る麻耶の肩をもみ始めた。三十五になる夫は、求めてくる夜は妙にべたべたとやさしかったり、甘えてきたりするのだった。四捨五入すればもう四十だといって騒いだ誕生日はこの春のことである。

「やっぱりこのマンションにしてよかったな。のんで帰るときも都心にむかう電車はがらがらだ。同僚にもいわれたよ。もつべきものは、やっぱり美人で実家が金もちの奥さんだって」

真治の右手が鎖骨をすべって、UネックのTシャツの胸にはいってきた。ブラジャーのカップのしたに指をとおそうとする。熱をもった男の手をうえから押さえて、麻耶はいった。

「わかったから、お風呂にはいってきたら」

真治に印刷会社の営業の仕事があるのなら、自分の仕事はきっとこれなのだろう。バスルームにむかう夫の背中を見送りながら、麻耶は考えていた。人のことはあれこれといえないな。だって、これから自分もお約束どおりの反応をするロボットになる。

今夜もまた都電荒川線にのることになるのだろう。セックスのときになると路面電車のことを空想している自分が、麻耶はなんだかおかしくて、くすりと笑ってしまった。真治は脱衣所でサザンオールスターズの古いヒット曲をハミングしていた。同じサザンでもほかにいい曲はいくらでもあるのに。


真治が手をふれる順番はいつものとおりだった。短いキスのあと、首筋と胸と性器にふれる。仕事帰りとは違って、そういうときにはあまり寄り道しない人なのだ。麻耶はそのたびに適当に身体をくねらせたり、ため息に似た声を漏らしていた。

「いいか」

真剣な男の声がおかしかった。麻耶は目を閉じたままうなずいた。ぬるい温泉につかっているときのようなぼんやりとした心地よさはあるが、麻耶は一度も小説や映画に描かれているような快楽を得たことはなかった。ああしたものは架空のお話によくある、ちょっとおおげさな表現なのではないかと思っている。

別に快感などなくともかまわなかった。結局のところ、人間のやることすべてには、むきふむきがある。バンジージャンプやアイススケートでトリプルアクセルができる人間もいれば、宙に浮くことになど興味のない人間もいる。麻耶はエクスタシーを知っている女のことを、さしてうらやましいとは思わなかった。この身体もわたしという人間も、きっとセックスむきにできていないのだ。麻耶は明かりの消えた寝室で、目を閉じてうっとりした表情をつくった。夫の無骨な指で身体のなかを探られながら考えていたのは、まるで別のことである。

麻耶が育った早稲田鶴巻町から、都電荒川線の始発駅がある早稲田までは歩いてほんの数分の距離だった。幼いころ麻耶は一両きりの路面電車にのるのが大好きで、休みのたびに両親にせがんではでかけたのである。

とげぬき地蔵のある庚申塚《こうしんづか》や、サンシャインシティが建ってからは東池袋四丁目、時間のある日曜の午後などは荒川遊園地前まで足を延ばした。窓にかじりつき、手をだしたらふれられそうな安普請の住宅や、同じ高さを走るバスや自動車を見るのが大好きだったのだ。『千と千尋の神隠し』で水上をいく電車を見たときには、なつかしさに胸が締めつけられたほどである。

麻耶は夫が腰を動かすたびに、頭のなかで停車駅を数えていた。早稲田、面影橋、学習院下、鬼子母神前《きしぼじんまえ》、雑司ヶ谷《ぞうしがや》。どれも味のある駅名だった。あのころの電車は現在のような流線型で窓ガラスがおおきなものではなく、車体のあちこちにリベットの跡が残った箱型だった。

真治はいつも終点の三《み》ノ輪《わ》橋《ばし》に到着することもなく、遊園地前や町屋二丁目のあたりでひとり先に終了してしまうのだった。そんなとき麻耶は三歳年うえの男の頭をなでながら、かわいらしいと思った。セックスの快感はないけれど、自分の身体で男性がいってくれるのは素直にうれしかった。

麻耶は一見クールでぼんやりとしていて、感情表現も豊かではなかったが、心底から冷たい人間ではない。夫のことを愛しているかといわれたら、こたえるのはむずかしいだろう。けれど自分のことを好きになってくれた人間に、好意を返すだけの礼儀ただしさはあったのである。

新しいマンションに引っ越してひと月半がすぎた。暮らしの形にも落ち着きがでて、麻耶は気になっていた内装に手をいれることにした。白いクロス張りの壁は清潔で明るかったけれど、自分が住む部屋という感じがしなかった。麻耶は出不精で、あちこちと街を歩いたり、ショッピングをする趣味はなかった。そのぶん室内にいる時間は長く、マンションの居心地は大切だった。

最初に手をつけたのは、夫婦の寝室である。明かりを落としてもぼんやりと明るい壁面が大嫌いなのだ。部屋のおおきさもそれほどではないし、リビングの内装を変えるまえの小手調べとしてはちょうどいいだろう。

新宿は下世話な感じが苦手だったので、渋谷、目黒、恵比寿とインテリアショップを見て歩いた。イメージしていたのは、明るいときにきれいで、暗くなってからはしっとりと夜の闇になじむ柄の壁紙だった。麻耶はたいてい自分でほしいものを先にイメージしてから、買いものにでかけるので、いつも苦戦することが多かった。なぜかはわからないけれど、これがほしいと思ってショッピングをすると、まずお気にいりのものは見つからないのだ。もっともどの店においてあるものも、その時分の流行がほとんどで、麻耶はやはりの品をほしがるタイプではなかった。

渋谷で四軒、恵比寿で三軒、目黒のインテリア通り沿いにある五十を超えるショップの半分を、梅雨空のした見て歩いた。その壁紙を見つけたのは、自由が丘近くの店である。カントリー調のログハウス造りの一軒家だった。

麻耶は淡いグリーンの傘をたたんで、店内にはいった。つんと鼻につくけれど、接着剤とは異なる木材そのもののにおいがした。

「いらっしゃいませ」

店員というよりはオーナーではないだろうか。黒いコットンレースのロングドレスを着た中年女性が、店の奥からでてくる。麻耶は黙って会釈を返した。もう二十軒以上はまわっているので、目的のものを迷いなく探し始めた。黒いドレスのマダムはいった。

「あら、壁紙をお探しですね。こちらへ、どうぞ」

なぜわかったのだろう、麻耶は不思議に思ったが、無垢材《むくざい》のフロアを広い店の隅にむかう女についていった。女性のうしろ姿にはあまり興味はなかったのだが、そのとき目のまえを歩く背中を見つめずにはいられなかった。

特別なコルセットでウエストを締めあげているのだろうか。ミツバチのようにくびれた腰に圧倒的なボリューム感のある尻がつながっていた。肩口は広くあいて、白い肌が大胆にのぞいている。海外のコミックスに登場するセクシーな魔女のようだった。

「先週はいったんですけど、お客さまならこんな柄はどうでしょうか」

熟れたプラムを思わせる唇を笑いの形に裂いて、店主が振り返った。ウエストに落としていた視線を、麻耶はあわててあげた。壁際には扉のおおきさほどあるフレームが数十枚さげられ、そこにカーテンや壁紙が展示されていた。マダムは巨人の新聞でもめくるように両手でなかほどのフレームをいっぱいに開いてみせた。

「……きれい」

そういうのが精いっぱいだった。そこに描かれているのは夜明けの空である。東の地平線が赤く燃えるまえの、ほんの一瞬しか見ることのできない冷たく透明な青空だった。昼間でなく、なぜ夜とわかるかといえば、全体の四分の一ほどを占める地上の森では木々の枝のあいだにまだ闇が落ちていて、空には白く冴える月と銀の砂粒のような星が散っていたからである。どうやったら印刷で、これほど透明な青をつくれるのだろうか。画面の奥から夜明けの最初の光がさしているような鮮やかな空だった。それでいて写真ではなく、ちゃんと筆のタッチも残っているのだ。

その壁紙には人を深いところから幸福にするまっすぐな力があった。麻耶は美しさに打たれ、立ちすくんでいた。黒いドレスのマダムが、微笑んでいった。

「あなたには、この夜明けの青がよく似あいそうね」

自分にこれほどの透明感があるのだろうか。三十歳をすぎてからは、肌だって以前のような張りや輝きを失っている。年をとることよりももっと恐ろしいのは、三十二年間を生きてまだ誰もほんとうには愛していないことだった。それは六年間連れ添った夫の真治でさえ例外ではない。麻耶はセックスだけでなく、愛と結婚生活にも自分はふむきな人間なのではないかと、ひそかに恐れていたのだ。

麻耶の心の動きなど、まるで関知せずにマダムがいった。

「だいじょうぶですよ。ほんとうに気にいった絵柄なら、この何倍も広い面積になっても、ちゃんともちますよ。寝室なんかには、ぴったりだと思います」

驚いて麻耶はいった。

「そうなんです。ずっと寝室用の壁紙を探していたんです。ずいぶん見てまわって、だめかもしれないと思っていたんだけど、これしかないみたい」

麻耶は素直にそういった。これほど心を奪われてしまったら、抵抗はもう無駄だった。寝室の広さを告げるとマダムは電卓で計算を始めた。すまなそうに顔をあげて黒いドレスの女はいった。

「センスのいいお客さまだから、ちょっとサービスさせてもらいます。これでいかがでしょうか」

逆さにさしだされたアルミニウムの電卓を見た。そこにあったのは当初の予算の五割増しほどの数字である。麻耶はうなずいて、クレジットカードをだした。こんなときのためのへそくりである。普段はファッションにほとんど金をつかわないのだ。これくらいの贅沢はいいだろう。

手際よく会計を片づけるマダムと立ち話をした。配送は二日後だという。しっかりと濡らし、あわてずにゆっくり張っていけば、素人でもそれほどのミスはない。間違ったら、また張り直せばいいのだ。張って直後なら、いくらでもやり直しがきく。

麻耶はショップカードをもらい、店をでた。外はまだ雨が降っていたけれど、麻耶の気もちは先ほどまでとは違って、若葉色の傘のしたでからりと乾いていた。

寝室の広さは七畳弱だった。長方形の一角に四角くクローゼットが張りだしている変形の六角形だ。室内にあるのはベッドと麻耶のドレッサーだけだった。

真治が仕事にでてしまうと、麻耶は新聞紙を部屋中に敷き詰めた。梅雨の晴れ間の金曜日である。家具は将来子ども部屋にしようと思っているもうひとつのちいさな寝室に、移動させてあった。

霧吹きで隅々まで壁紙を濡らし、脚立《きゃたつ》にのって天井の隅にあわせて張っていく。一枚目は何度か位置を決め直したが、二枚目からは快調だった。ゴムベラで気泡を押しだし、それでも抜けないところは針でさして空気を抜いた。朝食の直後から始まった作業は、夜になってようやく終わった。

ずっと腕をあげたままだったので肩が熱をもってだるかったが、仕あがりに麻耶は満足していた。とくに夜になってから見る夜明けの空の壁紙は、息をのむほどの切なさだったのである。見知らぬ国の明けがたの公園に、ひとりとり残されてしまったかのようだった。

その夜、真治はまた深夜近くになって帰宅している。勢いこんで模様替えした寝室を見せたけれど、夫の反応はいたって冷たかった。まあ一日働いて帰ってきたのだから、それもあたりまえだろう。麻耶はこんなときにでも、普段の冷静さを発揮するのだった。

異変は翌日の夜にやってきた。麻耶と真治は、ふたりがかりでベッドを夫婦の寝室にもどしている。まだ壁紙が湿っているので、四方の壁にはふれないように部屋の中央にベッドをおいた。

真治は週末の夜のどちらかで求めてくることが多かった。今回はそれが土曜日の夜になった。食事と入浴を終えて、ベッドでのんびりと横になるころには、すでに日づけは変わっていた。

麻耶は夫がこのままどこかにいってしまえばいいのにとひそかに考えていた。夜明けの空の部屋（それは夫婦の寝室に麻耶がつけた新しい名前である）の最初のひと晩は、自分ひとりで広々とベッドをつかって眠りたかったのである。両肩にはまだ筋肉痛が残っている。

麻耶はうとうとしながら、ベッドに横になっていた。四方に目をやると視線の下側に夜の森が広がっている。そこからうえは、例の鮮やかな夜明けの空で、横になって見ているとまるで空飛ぶベッドにのって、夜空に浮いているようだった。星にさえ軽々と手が届きそうだ。

風呂あがりでほてった身体に冷たいシーツが心地よかった。腕や足の重さが感じられなくなる。確かにそこにあるのに、自分の肉体である感じがしないのだ。その感覚が胴体や頭まで広がって、麻耶はいつの間にか眠りこんでいた。

麻耶は短い夢を見た。そこは二十四時間いつでも夜明けの国だった。薄暗い空のしたで人々は感情をあらわにすることなく、淡々と生活している。そこにお約束の反応をするロボットはいなかった。ぼんやりしている、心が冷たいと友人から評される麻耶にはほっと安心できる場所だった。夜明けの国の公園の芝生のうえに、少女の麻耶は毛布とバスケットを広げた。家からもってきたお手製のサンドイッチには、なにかわからないけれど薄切りにされた青い肉がはさんであった。そんなものを見るのは初めてだった。いったいどんな味がするのだろう。夢のなかで冷静にそう思ったとき、誰かが耳元で囁いた。

「麻耶、麻耶、寝ちゃったのか」

急に夢のなかから引きもどされて、麻耶は苦しい息をした。うっすらと汗をかいている。横むきで眠っていた麻耶の身体にぴたりと張りつくように、真治が身体を三日月形に曲げていた。寝ぼけている妻に気づかってか、乳房をさぐる指先はいつになくソフトだった。

麻耶はまた目を閉じて、夢の続きを見ようとした。あの青いサンドイッチをひと口たべてみたかったのである。もう感じている振りも面倒だった。

真治が首のうしろにキスをした。麻耶の背中のしたのほうまで、これまでに感じたことのない奇妙な震えが走る。指は乳房をしたからやさしくこすりあげてくる。硬く立ちあがった乳首の芯に刺すような快感が生まれた。

「あっ」

それは生まれて初めて、快楽のために麻耶が漏らした声だった。真治は黙って、麻耶のちいさな胸で手を動かしている。それはコンプレックスの種で、結婚して六年、麻耶は明るいところで真治に胸を見せたことはなかった。真治の動きは性急ではなく、眠たくて惰性で続けているようだった。

だが、その焦りのなさや、無理に快感を求めない手と指の動きが、麻耶には逆に新鮮だった。胸から広がった快感の波は静かに身体をつたっておりていく。この調子でしたに指がおりたらどうなるのだろう。麻耶は期待するような、怖いような気もちになった。

じりじりしながら待っていると、真治の右手がショーツのうえから麻耶のやわらかな性器をくるむようにつかんだ。生まれたばかりの子猫でもすくうようなやさしい動きだった。麻耶はそれだけで全身をびくりと震わせた。

「どうしたの」

真治がいっているのは、自分のてのひらのことのようだった。ショーツの二重になったクロッチをすかして、麻耶の水があふれていたのだ。真治のてのひらは広い範囲で濡れていた。麻耶にはなにもこたえる言葉がなかった。すべての神経を研ぎ澄ませ、夫のつぎの動きを待つだけである。

真治の肉厚のなか指は布のうえから、麻耶の形を確かめていた。外側のあやふやな線をなぞり、ゆっくりと中心に近づいてくる。麻耶はじらされて、何度も声を漏らした。麻耶の場合、声は快感のためだけでなく、近づいてくる快楽の予感で漏れてしまうことが多かった。

普段ならさっさとショーツを脱がせ、すこし湿った程度ですぐに挿入に移るのだが、その夜の真治は違っていた。なかなかショーツの縁に手をかけようとさえしない。あとではつかえないくらい麻耶の水を吸い取らせてから、真治は妻のショーツをくるりとむいた。

「いいか、いくよ」

そこで真治はまたいつもの流れにもどろうとした。麻耶はその夜、めずらしく自分に素直だった。

「待って。なんだか、今のがすごくいいみたい。このまま続けてくれる」

夜明けの空のベッドのうえで、夫はうなずいたようである。それからまたゆっくりとじらすような指の動きが続いた。麻耶のなかでは時間の流れが完全に失われてしまった。おおきさにしたら、豆粒ほどのむきだしの神経から、無数にちいさな波が全身に広がっていく。麻耶はなんとかその波にのろうとした。もっと高い場所にいけるのだと、身体は麻耶にサインをだしてくる。だが、何度試みてもさいごの大波には上手にのることができなかった。

「ありがとう。なんか今日はすごくいいみたい」

あきらめて目を開けて、正面の壁を見た。青ガラスのような夜明けの空に、純白の月が沈もうとしている。焦ることはなかったのだ。ここは二十四時間夜明けの国だ。麻耶は全身の力を抜いて、真治にいった。

「お願い。もうちょっとだけ、続けてみて」

初めてのエクスタシーが大事なのではなかった。大切なのは、この時間をすこしでもながく引き延ばし、たっぷりとたのしむことなのだ。そう気づくと麻耶の反応は、より激しく自由になった。腰はうねり、太ももは震え、腹と胸は交互に上下した。息は短く浅く、蜜のように甘い夜明けの空気を吸っている。

真治の指は同じ速度で往復を続けていた。ほんの一センチほどの小刻みな動きなのだが、なであげるときには刺すような鋭い快感が、さがるときには安心感に似た切ない心地よさがあるのだった。

最後の波は麻耶が疲れ切る直前にやってきた。快感も心からの反応をすることも初めてだったので、麻耶はそれほどのスタミナをもっていなかった。波にのろうとする力みさえなくなり、身体が芯からリラックスした。

その瞬間、麻耶は頭から大波にのまれ、渦のなかできりきりと回転しながら、はるかな高みへと連れていかれた。下腹部にちいさな太陽が生まれたようだった。目がくらむような白熱の光が何度も収縮を繰り返している。それはしだいに収まって、汗と涙になり麻耶の身体から流れだしていった。

「すごい声だった」

真治がびっくりしたようにいった。麻耶は自分がそのときに声をだしていたのかさえ、わからなかった。夫はやさしく肩を抱いてくれる。

「泣くほどのことはないじゃないか。いつものことだろう。今夜はちょっと反応がすごかったけど」

この人には結局わからなかったのだ。それでも夫への感謝の気もちはすこしもなくならなかった。麻耶は自分から真治にしがみついていった。このあとをさらに続けたら、いったいどうなるのだろうか。

麻耶と真治は、地上二十五階の夜明けの空に浮かび、その夜しっかりとひとつになった。

麻耶の想像とは違って、挿入をともなうセックスはそれほどでもなかった。だが、明らかに異なるのは、挿入にも快楽への予感がはっきりと感じられたことだ。真治は昼間の仕事と長い前戯に疲れてしまったようで、麻耶とつながっている時間はあまり長くはなかった。それでも明確な予感はあった。このまま何度か試していけば、また別の見たことのない光が見えるだろう。自分自身のなかに輝きだす真夜中の太陽だ。

　つぎの日も身体のなかに、初めての快楽の余韻が残っていた。夕食の時間を早くして、麻耶は自分から夜明けの空の部屋へ真治を誘った。そんなことは結婚してから初めてで、二日連続のセックスなど恋愛の初期以来実にひさしぶりのことだった。

　二日目の夜も、やはりきちんと指で最後までいくことができた。挿入にもさらに深い予感がある。麻耶は初めて自分の肉体の謎を解いた気分だった。命をつなぐために自然はこんな快楽を身体の奥深くに隠していたのだ。麻耶は最後の瞬間に、夜明けの空の部屋で長く声をあげ、すこしだけ泣いた。

　結婚相手の真治を、初めて愛しく感じたからだった。それまではただ自分のことを大切にしてくれる男、なぜか理由はわからないが自分を求めてくれる男にすぎなかったのである。

　それからの二週間は、六年も遅れてやってきたハネムーンのようだった。麻耶と真治の生活はすべてが夜明けの空の部屋を中心にまわるようになった。三十二歳になって、初めて異性と深くつながることの素晴らしさに目覚めたのだ。麻耶の集中力は驚異的だった。それに真治も全力でこたえた。残業が多かった仕事を早く切りあげて、さっさと帰宅するようになったのである。

一週目が終わるころには、挿入でも別なエクスタシーが可能になり、セックスの形とバリエーションは際限なく広がっていった。そんな夜明けの楽園につぎの異変が起きたのは、蜜のような二週目の終わりだった。

それはみたびの土曜日、梅雨が最後の力を振りしぼり空をくまなく濡らした灰色の夜だった。いつものように素晴らしいセックスのあとで、今度は夫の真治が急に泣きだしたのである。麻耶には理由がまったくわからなかった。自分のように初めてのエクスタシーを迎えたせいでないのは確かだった。夫は麻耶から目をそらし、夜明けの空の壁紙を見つめていた。

「すまない。もう、がまんしていられなくなった。ぼくは麻耶に隠れて会社の子とつきあっていた」

セックスのあとでけだるく霞んだ身体のなかに、重い石でも投げこまれたように言葉が落ちてくる。麻耶は黙って、続きを待った。

「きみはすごくきれいで、ぼくにはもったいないくらいの人だった。最初に交際をもうしこんで、あっさりOKをくれたときには、もうでたらめにうれしかったよ。結婚してくれというと、それさえ問題なくうなずいてくれた」

すっかり忘れていたが、そんなことがあったのだ。麻耶は結婚生活にも、男性にもあまり期待するところがなかったのである。たまたま悪くない時期に悪くない相手に出会った。押されれば断るのは面倒だったので、いっしょになっただけなのだ。真治はけんめいに話し続けていた。

「麻耶と暮らすようになって初めは舞いあがっていた。毎日がただうれしかった。それが何年かたつと、あまりにも麻耶があっさりしているのが不安になった。麻耶はすごくやさしくて感受性がつよいけれど、自分だけの場所があって、そこには結婚してるぼくだって、簡単にはいることはできない。不安はどんどんふくらんでいった」

麻耶はようやく返事をした。

「……そう……相手の人は、どういう人」

真治は夜明けの空にため息をついた。

「麻耶よりぜんぜんいけてない女の子だ。若いだけで、頭もセンスもたいしたことはない。顔だって麻耶のほうがずっときれいだ。ただお手軽だっただけかもしれない。彼女はぼく以外にもボーイフレンドがいるみたいだしね。その代わり自分と他人を区別したりしないルーズさのある子だった。それがぼくには新鮮だったのかもしれない」

ぼんやりしているところが、麻耶と浮気相手の似ているところなのだろうか。

「そう」

真治はベッドのうえに起きあがった。

「だけど、その彼女とはきちんと別れてきた。もう二度と迷わないと思う。麻耶がこんなふうにぼくにこたえてくれるなんて、この二週間はすごくうれしかった」

麻耶はとなりに横たわる夫の顔を見た。この人は単純なのだ。嘘を抱えて生きていくことの重さをただ放りだしたいだけなのだ。その重さをわたしの肩にのせて、明日からは嘘をつかない誠実な夫として生きていきたいのだろう。想像力のない善人だ。真治は麻耶の肩に頭をつけていう。

「ごめん。ほんとうに反省してる。でも、ぼくが誰よりも麻耶を大事に思っていることは、忘れないでほしい」

それは嘘のないほんとうの気もちのようだった。麻耶は礼儀ただしく、ありがとうといった。ベッドのそばの壁紙を見る。点々と散った銀の星のあいだに潰し切れていない気泡が残っていた。明日はここに針をさして、空気を抜いてあげよう。

麻耶はじっと夜明けの空に浮かび考えていた。いつか自分にこの夫をほんとうに愛する日がくるのだろうか。それは一生こたえがでないかもしれない恐ろしい質問だった。今の麻耶にわかるのは、明日もまたこの夜明けの空の部屋に、自分が真治を誘うだろうということだけである。雨の音はこの永遠の夜明けのなかでさえ、すべてをしっとり濡らしていた。

麻耶は身体を返すと、夫の厚い胸板に抱きついた。この空から堕ちずにいるには、それだけしか支えがないように思えた。

いばらの城

美広《みひろ》の母は女王だった。

女王は同じ屋根のしたに別な女王がいるのを許さない。母は美しく聡明な人だったが、ひとり娘の美広を一度もほめたことがなかった。わたしの娘なのに、かわいくない。うちの子なのに、頭がよくない。いくつになっても、要領が悪い。繰り返される小言は、美広の心をしだいに削り、狭い型にはめていった。

実際には美広はどんなクラスでも、成績で上位三分の一から落ちたことはなかった。母親ではなく父親似だったけれど、かわいいタイプの母と違って、すこし冷たい印象のある整った顔立ちをしていた。どちらを選ぶかは人の好みで、母とは別な美しさをもっていたのだ。

名古屋の私立高校からエスカレーター式でうえの大学にあがったのは、母親の思いどおりだったが、就職は反対を押し切って東京に決めた。中堅の製薬会社である。当時は華やかな首都の中心で、若いうちくらいすごしてみたいという軽い気もちだった。地元の企業に数年勤め、実家の近くで結婚してほしいという母親の望みを裏切るのは、たいへんな罪悪感があったのだ。

総合職の事務をそつなくこなして、すでに十三年になる。幸運なことに進歩的な会社で、名刺には広報室長の肩書きさえ刷られていた。きっと会社と自分の相性がよかったのだろう。今では上京したときの気もちに、母親の重力圏から逃れたいという必死の抵抗があったことに気づく年になっている。

高血圧の新薬が単品で年間一千億円以上の売上を記録して、元々高給の製薬業界のなかでも、美広の会社はトップクラスの給料だった。クローゼットのなかには高級ブランドの衣服やバッグがそれなりにそろっている。もうブランドもののショッピングでは、買いものの快感は得られにくくなっていた。

そんな美広が自分のマンションを買おうと突然決心したのは、三十五歳の誕生日の直前のことだった。理由はない。自分でもなぜそう思ったのかわからない。ただ急に自分だけの城がほしくてたまらなくなったのである。

誕生日の夜は、ボーイフレンドの安東茂人《しげと》がきちんとレストランを予約してくれた。平日だったので、待ちあわせは夜の七時。新鮮な野菜が売りものだという赤坂のフレンチである。茂人は製薬業界紙の編集者で、医療関係の団体のパーティで知りあった。年はほとんど美広と変わらない三十六歳だ。

美広のまわりの女性たちは、三十をすぎると急に若い男がいいと、年したとつきあう傾向があったが、美広はどうも苦手だった。偏見だとはわかっていても、年したの男性には頼りなさを感じてしまう。

ウエイターに扉を支えてもらい、毛足の長いカーペットの店内にはいった。背筋が伸びる。美広はこんな瞬間が好きだった。たいてい空振りに終わってしまうのだが、これからなにかが始まるという予感がいい。

先についていた茂人がテーブルで軽く右手をあげた。美広は赤坂の街に開いた窓際の席にむかった。真夏のこの時期、夜七時では空はまだ暮れ切っていなかった。夕焼けの明るさを残した都会の空のした、一ツ木通りの狭い谷にだけ夜が溜まっている。おかしな形のキノコのような街灯が、通りの奥までリズミカルに続いていた。美広は席につくと、茂人のまえを見た。細かな泡が弾けるチューリップグラス。ウエイターにいった。

「わたしも同じものを」

運ばれてきたシャンパンで乾杯すると、茂人はにやりと笑った。

「どう、四捨五入すると四十歳になった気分は」

美広は茂人の胸元に目をやる。

「そのネクタイ返してもらおうかな。もう誕生日なんてぜんぜんうれしくないよ」

ソリッドなシルバーのヒューゴ・ボスのタイは、前回の彼の誕生日に美広がプレゼントしたものだ。つや消しのアルミニウムのような輝きだった。茂人は感情の読みにくい顔でいった。

「そういえば、マンションを探すって話はどうなったの」

美広はバッグから、折込チラシとパソコンのプリントアウトをだした。

「お料理が始まるまえに、ちょっと見てくれない。全部で四件あるんだけど」

茂人はぱらぱらと中身をめくった。美広の会社は信濃町にある。どれも電車で十五分以内の場所にある物件だった。代々木、市ヶ谷、神楽坂、参宮橋《さんぐうばし》。

「へえ、場所はいいね。それでお客さまのご予算は」

「やめてよ、真剣なんだから。銀行と話をしてみないとわからないけど、上限で四千万円くらいかな」

茂人はインテリア雑誌のようなモデルルームの写真を見ながらいった。

「そうすると都心なら1LDKか2DKだな」

美広はテーブルに身体をのりだした。

「そうなの。通勤のこととか、資産価値を考えると、やっぱり都心がいい。郊外にいけば同じ値段で3LDKも買えるんだけど。どうせ、ひとりだから」

美広は自分の話に夢中で、かすかに曇った茂人の表情を読めなかった。

「都心のマンションでおしゃれに暮らすのか。ますます男運が悪くなりそうだな。ぼく以外の男には」

二年越しのつきあいになるボーイフレンドに美広は顔をあげた。にこにこと笑っている。茂人は美広の母親と違って、他人にいっさいのプレッシャーをかけない人だった。しかったり、指導しようとせずに、そっと背中を押してくれるタイプだ。

「そうね。会社ではみんなにいわれた。マンション買った女は、絶対結婚しなくなる。自分の城をもつと男の人にあわせるのが面倒になるんだって」

最初の皿が運ばれてきた。ズッキーニと白アスパラガスとパプリカのソテーである。緑と白と赤の三色は自家製マヨネーズの格子で細かに仕切られていた。茂人はアスパラガスの穂を口に放りこんでいった。

「年のせいかな。最近は肉より野菜のほうがおいしいよ。だんだんお腹のまわりも気になってくるしな」

茂人の平らな腹よりも、問題なのは美広のほうだった。

「せっかくの誕生日のご馳走なんだから、今日は体重と体脂肪の話はなしにしてくれる。あなたくらいなら、ぜんぜんましなんだから」

美広は風呂あがりの鏡に映る自分の身体を思いだした。空腹のときでもぽこりとでた下腹部、張りを失った胸と尻。うちの家系はみなスリムで、スタイルがいいのにという母の小言がきこえるようだ。美広は三十代なかばの身体を頭から追い払うようにいった。

「週末から、モデルルームめぐりをしたいんだけど、つきあってくれる」

腹まわりを気にしている割には、茂人はどんどん前菜の皿を片づけていた。

「はいはい、わかったよ。どうせ、洋服と同じでひとりじゃ決められないというんだろ」

美広はいったん迷い始めると、一枚のTシャツを買うのに一時間も二時間もかかることがあった。

「そうなの。お願い」

「いいよ。ぼくもモデルルームを見るのは初めてだし、ちょっとおもしろいかもしれない。忘れていた。これ誕生日のプレゼント」

茂人はオレンジ色のエルメスの袋を、わきの椅子の座面からテーブルに移した。先ほどから美広が気になっていたものである。

「開けてもいい」

茂人は黙ってうなずいた。茶色のリボンをはずし、包装紙をていねいにはがす。革のチョーカーとブレスレットのセットだった。どちらも同じゴールドの金具でとめるようになっていて、セットづかいすれば映《は》えることだろう。

「ありがとう、茂人」

あとでシャワーを浴びたら、たっぷりお礼をしてあげよう。どうでもいいようにうなずく男を見て、美広の胸が熱くなった。

土曜日の朝はよく晴れて、残暑の厳しい一日になった。東京は今年も四十度近い最高気温を記録している。すでに亜熱帯の都市なのだ。十時半に信濃町駅で待ちあわせしたときには、茂人のＴシャツの背中はすでに汗で透けていた。

「クルマじゃだめだったんだよな」

ハンドタオルで汗をぬぐいながら暑がりの男がいった。

「だめだめ。駅からの距離を歩いて確かめないといけないし、街にどんなお店があるかも見ておきたい。クルマのなかからじゃ、街のことなんてわからないよ。さあ、いきましょ」

最初に内覧するのは一番遠い参宮橋の物件だった。ＪＲと小田急線をのりついで約十五分。駅まえの商店街はとくに活気があるとはいえないが、生活に不便はなさそうだった。駅から歩いて数分のところにあるモデルルームを訪れる。空き地に箱のような仮設の建物があって、窓にはマンションの名前がでかでかと張られていた。物件の旗竿が夏の日ざしのなかうなだれている。茂人がいった。

「ここがアビタシオン参宮橋ね。なんだかフランス語って感じじゃないんだけど」

出迎えてくれたのは、パンツスーツ姿の若い女性だった。

「いらっしゃいませ。靴はここでお脱ぎください。ご夫婦でおみえですか」

茂人が美広を見た。美広は平然とこたえる。

「いいえ。この人はつきそいできてくれているんです。住むのはわたしひとり」

さすがにマンション販売のプロだった。営業用の笑顔を崩さずに、建物のなかにあるモデルルームの扉を開けてくれた。なかにはいると自動的に明かりがついた。玄関の床は白い大理石張りだ。

「こちらは3LDKのファミリータイプになっております。使用している備品や内装材は、ほかのお部屋とすべて共通でございます」

床は黒っぽいフローリングでなかなかシックだった。左右にある扉を順番に開いていくと、片方は子ども部屋でもうひとつは夫婦の寝室だった。どちらのベッドもベージュのカバーがかかって、ホテルのように整えられている。学習机さえシンプルなデザインの北欧製だった。

「こんな家で育ったら、子どももセンスよくなるんだろうな」

美広はボーイフレンドの言葉を無視して、トイレやバス、キッチンのつくりなどをメモを取りながら見てまわった。美広もモデルルームを見るのは初めてだったが、真剣に買うつもりなので、茂人とは集中度が違う。

また、そうして見ていくと、モデルルームというのはひどくおもしろいものだった。

八十平方メートルと、都内では平均的な広さの物件なのだが、すこしでも広く見せようとさまざまな手をつかっている。家具もマンションのつくりよりずっと高級な海外ブランドばかりおいてあった。茂人は一年で薄汚れてしまいそうな純白の革製ソファに腰かけている。

美広の見学は三十分ほどで終わった。最後に玄関で靴をはいて、モデルルームの外にある応接スペースにとおされた。先に内覧を終えた数家族が商談を始めている。ふたりのまえにはアイスコーヒーとアンケート用紙がならんだ。

氏名住所だけでなく、勤め先や勤続年数、年収まで書く欄のある用紙である。茂人が紙を裏返していった。

「これ、ぼくは書かなくていいんだろ。予算の上限は一億だってさ。誰があいうマンションを一億もだして買うんだろうな。不景気でも金もちはいるんだな」

さらさらと美広は空欄を埋めていた。ころあいを見計らって、先ほどの営業ウーマンがもどってくる。笑顔でいった。

「ご記入いただけましたか。お部屋のほうはいかがでございました」

美広も笑っていった。

「とても素敵でした。でも、ここが最初の内覧なので、もうすこし考えさせてください。また見にきてもいいんですよね」

「はい、何度でもどうぞ。お待ちもうしあげております」

粒のそろった白い歯を見せて、彼女はしっかりと笑った。参宮橋の街にもどると、茂人はいった。

「あの女の子がついてるなら、一億でもいいかもしれないな」

美広は冗談にはまったくつきあわなかった。

「それじゃ、実際に物件のできる場所まで、ここから歩いてみましょう」

三十代なかばになるとシミ対策も必須である。美広は黒い日傘をさして、炎天下の駅まえを商店街の奥深くはいっていった。


いったん新宿にもどり、南口にあるイタリアンで昼食にした。美広のおごりである。二件目は代々木のマンションだった。モデルルームにはいるまえに茂人はいう。

「今度は駅からどれくらいかかるんだ。さっきのところは十三分て書いてあったけど、二十分近くかかった」

Tシャツだけでなく、短いまえ髪も汗で額に張りついている。美広はチラシを読んだ。

「十分だって。さっきよりは近いんじゃない」

こちらのモデルルームで応対にでたのは、男性の営業マンだった。最初はていねいだったのに、美広が独身でひとり住まいの物件を求めていると知ったら、急に態度がぞんざいになった。美広は案内はいいから部屋を見せてといって、さっさとなかにはいってしまう。

3LDKの間取りは、最初のものとどこが違うのかわからないほどよく似ていた。違うのは内装材の微妙な色具合と、おかれている家具だけだった。その差もわずかなものである。たぶんモデルルーム業界では、北欧インテリアがブームなのだろう。シンプルなデザインだが、先ほどと双子のように似た家具が計ったようにおいてある。茂人は美広の耳元でいった。

「なんだか、どこも似たようなもんだな。日本人って住む家も家具もみんなと同じじゃないと不安になるのかな」

美広はテーブルのうえにおいてあったアンケート用紙を無視していった。

「あの営業から買うのは嫌だから、この物件はなしね」

すっぱりと人を切ってしまう冷たさが、美広にはある。

「おーこわ。美広担当の営業じゃなくてよかったよ」

「さあ、つぎにいきましょう」

代々木からJR総武線にのった。しばらくすると休日の電車の窓に、緑の堀が映った。かつての江戸城の外堀は、油のように日ざしをはねていた。炎天下だがボートをこぐ若い男女も、釣堀に糸を垂らすくたびれた男たちもいた。市ヶ谷から飯田橋にかけては、都心なのだが奇妙にのんびりとした雰囲気がある。茂人がぼんやりと正面をむいたままいった。

「なんで急にマンション買おうなんて思ったんだ」

美広もお堀を見ていた。広がる水のおもてには、なぜか目をそらせない力がある。

「わからない。でも、いつか今よりもっと年をとったとき、自分の家があるといいなって、誕生日まえに急に思った。やっぱり三十五歳って、もう若くないよね」

茂人の着ているTシャツの胸元を見た。レッド・ホット・チリ・ペッパーズの出世作がプリントされていた。新人バンドだと思っていたのに、もう十年以上まえのアルバムだった。

「確かにそんなに若くはないのかもしれない。でも、美広は将来のこと、どう考えてるんだ」

茂人はそっと美広の横顔を見たが、美広は気づかなかった。

「わからない。わたしにはみんなのようなしあわせが似あわない気がする。普通のしあわせな主婦も、しあわせなキャリアウーマンも、どっちの未来もきっとないよ」

電車はレールのあわせ目のたびに規則的に揺れていた。美広の言葉に茂人はひと言も返さなかった。

「わたし、マンションを買おうって思ってから、ちょっと調べてみたんだ。首都圏で新築マンションを買った人たちのなかで、独身の女性は七パーセントなんだって。平均の年齢はわたしよりちょっとうえの三十七歳」

仕事のできる美広らしい正確な数字だった。ようやく茂人が口をはさんだ。

「やっぱり身体に勢いがなくなると、別ななにかで自分を守る気になるのかなあ」

美広はうなずいていった。

「そうかもしれない。わたし、茂人のまえなら平気だけど、若い男の子のまえじゃあ、もう裸になる勇気ないもの」

茂人は笑っていった。

「年したとつきあうつもりだったのか」

「想像よ、想像。でもね、家ってなにかおおきなものをなくして、その引き換えに買うものかもしれないなあって思った。若いころなら無限に広がっていた可能性が、どんどん閉じて現実の地平線がすぐそこに見えてくる。そこで、やっと自分の手が届くのは、このくらいの住まいなんだって納得する。そうでなければ、家なんて決められないもの」

美広はそうでもなかったが、自分の給料が美広より低いことを茂人は気にしているようだった。ため息をついて茂人はいう。

「三十年の住宅ローンを組むっていうのは、そういうことだよな」

「そうね。三十年後にローンを返し終わると、わたしは六十五歳」

茂人もさびしく笑った。

「ぼくは六十六だ。うちの親父は頭が薄いから、きっとそのころはこの髪もない。髪もなくなり、若い女の子とデートもできない。そりゃあマンションくらいほしいよな」

「そうなの。最後に頼れるよろいがほしいのかもしれない。革のジャケットやロングコートよりもっと厚く身を守ってくれるもの」

茂人はそこで黙りこんでしまった。電車は飯田橋の駅に近づいて、速度を落としていく。美広はいった。

「やっぱりマンションを探すのって、むずかしいね。洋服よりもっと迷うもの。でも初日だから。これから一年くらいかけてゆっくり探してもいいし」

にこりと笑い、開いた扉から先におりてしまう。茂人があわてて、早足でホームをいく美広のあとを追いかけた。


外堀通りをわたると、神楽坂の急な坂道が夏空に伸びていた。歩道は新しく整備されたようで、細かな割り石を敷き詰めた外国の遊歩道のようなつくりである。坂道の遥かうえまで、ケヤキの若木が列をなしていた。刻んだばかりの水菜のようなみずみずしい葉色である。

なぜか外国人もよく目についた。観光客というより、この街で暮らしているといった生活感のある姿の人たちである。甘味屋と日本そばとラーメンと寿司。坂をあがって数十メートルほどで、なかなかの店構えのたべもの屋が多数目についた。

「やっぱり昔の盛り場は違うな。どれもうまそうな店がそろってる。この街なら夜のデートは困らないな。つぎのマンションのモデルルームはどこにあるんだ」

美広はまえのめりに急な坂をあがりながらいった。

「今度はモデルルームじゃない。もう建物はできていて、売れ残ったところが、オープンルームになっているんだって」

額の汗をぬぐって、茂人がいった。

「なんて名前」

「メゾン・リベルテ神楽坂。ほらもうさっきから見えてるよ」

茂人は美広の指さす空を見あげた。白く輝く積乱雲を背に、この街には似あわない巨大な超高層ビルが灰色の切り絵のように空を占めている。

「あんなところか。すごく高いんじゃないの」

「部屋によってはそうでもないみたい」

その物件は神楽坂上の交差点近くに建っていた。周辺の公開緑地もかなりの広さがあり、ちょっとした公園なみである。エントランスはホテルのように広々としていた。中央が巨大な吹き抜けになったロビー階には、ファミリーレストランやコンビニ、本屋や花屋まである。休日のせいかオープンカフェの日傘のテーブルはほとんど埋まっていた。一番端の席に、妙に目立つ真紅のストールを巻いた小柄な老女が座って、こちらをじっと見つめていた。

受付のカウンターで内覧希望を告げると、制服の女性がすぐに不動産会社の人間を呼んでくれた。茂人は遥か上空、ガラスの三角屋根を見あげていう。

「ここ何階建てなんだ」

「三十三階。うえのほうはぜんぜん残っていないらしい。こういうビルの中心にある吹き抜けのこと、ライトウェルっていうんだって。光の井戸」

美広も茂人とならんで三十以上の廊下と手すりが積みあがるマンションの内壁に目をやった。これは光をくみおろすために空にむかって開かれた井戸なのだ。自分は明るい井戸の底に立っている。それは奇妙なほどの安心感だった。

「お待たせしました」

グレイのパンツスーツの女性がファイルをもって立っていた。にこやかに続ける。

「今日お見せできるのは、三件だけになりました。先週までは七件残っていたんですが、決まってしまいまして」

美広がいった。

「残っている部屋の番号はどれですか」

「612号室、405号室、309号室になります」

美広は気あいをいれていった。

「じゃあ、六階の部屋から見せてください」


612号室はモデルルームとは、まるで違っていた。まず家具がおかれていなかった。がらんとした箱があるだけなのだ。モデルルームよりも明らかに内装の仕あげのレベルは落ちる。だが、美広はモデルルームをつくるのはマンションの施工会社ではないとすでに知っていた。飛び切りの腕の職人を集めた専門の業者があるのだ。

なにもない分だけ、部屋の広さがよくわかった。二十畳を超える広いリビングに、寝室がひとつだけの1LDKである。リビングのサッシには、ようやくかたむき始めた西日がななめにあたっていた。

「この窓の方角は」

不動産会社の営業ウーマンは悪びれずにいった。

「北西になります。残りのふたつの部屋も、北西か北東むきです。こちらはこの時間から日が沈むまで、よく日のあたる明るい部屋です」

かんかんの西日がさしこむ物件だった。茂人はなにかいいたそうな顔をした。だが、美広の真剣な目を見て、黙ってしまう。キッチン、バスルーム、トイレ、洗面、玄関のシューズクロークやクローゼットのなかまで、美広はていねいに詳しく確認した。それだけで三十分ほどかかってしまう。そのあいだ茂人はバルコニーから神楽坂の街を見おろしていた。

もどってきた美広が手すりにならんだ。夏の午後の風が涼しい。六階ではそれほどの眺めではなかった。すぐしたを歩いている人の顔がわかる高さだ。だが、条件のよくない空っぽの部屋が美広には気になってしかたなかった。

「なんだか、すごく悩んじゃう。ちょっとしたで冷たいものでものみましょう」

美広は営業ウーマンに礼をいって、もうすこし考えたいと伝えた。なにかいいサインでも感じたのだろうか。相手の笑顔はひどく明るかった。逆に美広はひどく落ち着かない気分だった。四千万円を超える買いものなのだ。自分の指先が緊張で白くなっているのがわかる。

ロビーにおりると、美広はちょっと待ってと茂人に声をかけた。コンビニでメジャーを買う。茂人はあきれ顔で見ていた。先ほどのオープンカフェに席をとり、アイスロイヤルミルクティをふたつ注文する。

「どうしたんだ。ほんとにあの部屋を買う気になっちゃったのか」

美広は間取り図から顔をあげなかった。これからメジャーで測る場所を鉛筆で細かくチェックしていたのだ。茂人の声は意外なほど厳しかった。

「焦らずにのんびり一年くらい探すつもりじゃなかったのか」

鉛筆をテーブルに転がして、美広がいった。

「わからない。でも、この部屋を逃したらだめだっていう気がする。あの空っぽな感じがよかったのかなあ。わたしにしたら、めずらしいよ。こんな感じは、あのパーティの夜以来かな」

その夜、茂人と出会った美広は、この人を逃がしたくないと思い、自分からつぎのバーへ誘ったのだ。茂人はうなずいていった。

「北西むきだぞ。夏は西日でカーテンは閉め切りになる」

「そうね」

「六階だからすごい夜景だって見られない」

「わかってる」

「値段だって売れ残りにしても高いんだろう」

この人はわたしがマンションを買うのに反対なのだろうか。美広は不思議に思った。これまで茂人は、美広が決めたことに反対したことはなかったのである。

「うん。最初の予算の一割増しっていうところかな」

アイスティが届いた。ついてきたのはガムシロップではなく、ハチミツだった。ちいさなカップを逆さにして、茂人は乱暴にグラスをかきまぜた。思いつめた顔で、いきなりいった。

「マンションを買うのは、もうちょっと待てないかな。美広、ぼくと結婚しないか。ぼくたちはつきあって二年になるし、ふたりともいい年だ。もう新しい相手を探すのは面倒だし、とも働きならマンションだって、もっといいところが買える。今は高層物件が流行《はや》りだから、すごい夜景を見おろす部屋が、都心できっと見つかるさ」

茂人の頬が上気していた。思いがけないプロポーズは、身体が震えるほどうれしかった。だが、心のなかには別な自分がいる。あの母親の娘である自分だ。鉛筆を手にとった。視線を間取り図に落として、美広はいった。

「ありがとう。すごくうれしいよ。でも、わたし、誰かがずっと自分のことを好きでいてくれるっていう自信がないんだ。今はあなたとうまくいってるけど、それがほんとうにつぎの十年も続くのかなって、すごく不安になる」

「だったら結婚すればいいじゃないか。結婚って、そういうときの保証だろ」

美広は顔をあげた。目が熱かった。こんなところで泣くのは嫌で、必死に涙をこらえた。

「ダメだよ。結婚しても、不安はなくならないもの。あなたのことは好きだし、プロポーズはすごくうれしい。でも、わたしは自分のことが信じられない。仕事をちゃんとして、恋人がいても、いつも不安なの。わたしはそんなに価値のある人間なのかな。ほんとはすごくつまらない女なんじゃないかなって」

茂人はしぼりだすようにいった。

「おかあさんのせいか。ぼくがいくら美広を好きだといって、きみをほめても、気もちは変わらないのか」

美広は涙目で笑ってうなずいた。視線の先には光の井戸から降り注ぐ夏の日ざしが落ちている。ビルの内壁をおりてきた光には、明るさはあるが熱はなかった。オープンカフェで肌にあたるのは、エアコンの冷たい微風だ。身体の底からつながっている好きな男がいるのに、離ればなれに暮らして十年以上になる母親の影から、自分はでられないのだ。いまだに美広の心は、幼い自分と女王のような母親だけしかいない世界に閉じこめられていた。

美広はおずおずといった。

「ごめんね。ちいさなころからずっといわれてきたことは、やっぱり忘れられないや。おまえは、かわいくない、頭もよくない、要領が悪い。そうじゃないといわれても、簡単に信じられないもの。変えたいけど、自分はもう変えられないよ」

茂人は黙って待った。深呼吸をしている。美広は土曜午後のおだやかなロビーをゆっくりと見わたした。子ども連れの家族、若いカップル、携帯を見ながらとおりすぎていく高校生。誰も自分たちの悲しいプロポーズには気づいていなかった。美広の恋のパターンはいつもこうなのだ。決定的な瞬間になると、自分を信じることができずに身を引いてしまうのである。理由も告げずに男のまえから消えてしまったこともある。だが、茂人はしっかりと美広にうなずきかけてきた。

「美広はこの部屋がほしいんだな」

ほしいのではなかった。欠点だらけの部屋が、ここなら安全だよと、自分を呼んでいるのだ。美広は深くうなずいた。

「うん」

「そうか」

きっと幼いころから傷つけられてきた自分を守る、コンクリートの城がほしいのだろう。あまりに豪勢だったり、明るかったりしてはいけないのだ。すこし棘《とげ》のあるいばらで囲まれたくらいが、自分にはちょうどいいのだろう。茂人はため息をついていった。

「わかったよ。反対はしない。でも、美広がこの部屋に住んでも、ぼくは遊びにきていいんだろう」

美広は涙目でうなずくといった。

「ええ、あなたが嫌にならなきゃね。茂人のパジャマもバスタオルも全部用意しておくから」

茂人は冷たい紅茶を一気にのみほした。

「わかった。ここをホテル代わりにつかうことにするよ。一泊するたびにちゃんと料金を払うから、ローンの返済にあててくれ」

美広は男の心の広さに、身体が熱くなった。この人は、さっきの部屋と同じで絶対に逃がしてはいけない人なのかもしれない。

「ありがとう。やっぱりあなたと物件探しをして、ほんとによかった」

空っぽの部屋のローンを返し終える数十年後、自分はまだ茂人といっしょにいるのだろうかと美広は思った。そばにいて、茂人が背中を押し続けてくれれば、暗いほうにむかいがちな心の矢印を、いつか自分は変えることができるのだろうか。ハチミツいりのミルクティをのんだ。この甘さを一生忘れないだろう。今日は初めて自分の城と、その城に似あいのすこしくたびれた王子を手にいれた記念日なのだ。汗だくのTシャツを着た王子がいった。

「いこう。もう一度、あの部屋を見るんだろ」

「うん。測らなくちゃいけないところが、たくさんあるから」

そうなのだ。普通に暮らしていくだけでさえ、きちんと距離を測っておかなければならない場所が、住まいには無数にあるのだった。美広と茂人はふたたび６１２号室を内覧するために、光の井戸の明るい底を受付にむかって歩いていった。

ホームシアター

朝のトーストを口にいれると、枯葉のにおいがした。

真奈美《まなみ》がちょっと焼きすぎたのだろう。黒崎志郎《くろさきしろう》は半分バター、残りはイチゴジャムをぬったトーストが好きだった。妻とふたりきりの朝食である。志郎はひとりっ子の優樹《ゆうき》が何時に起きてくるのか知らなかった。長男は十七歳で高校を中退して、四年目になる。きっとまだ自分の部屋で寝ているのだろう。マンションの同じ住戸にいるのに、その場にはいない。家族の不在は、リビングダイニングの空気を奇妙に重くよどませている。

「あなた、ちょっと、これ」

真奈美が開いたままの新聞をさしだした。見だしに目を走らせる。『働くことも学ぶことも放棄したニート急増中』

「これ、うちの優樹のことじゃない」

志郎は腰をすえて、記事の本文を読んだ。ニートは、フリーターのように働いているわけでもなく、求職者のように職を探しているわけでもない。引きこもって自宅から外にでられないほど閉じてはいない。だからといって、さまざまな職業訓練に参加するほどの積極性もない。否定の条件を積みあげて、ようやく説明できる存在のようだった。志郎はいう。

「なんだか、ものすごく宙ぶらりんな連中だな」

妻は白いごはんとみそ汁の朝食だった。結婚当初は志郎にあわせて、洋風にしていたのだが、最近は別々の朝食に慣れてしまった。真奈美は声をひそめた。

「だから、うちの優樹にそっくりでしょう。あの子はなんでも中途半端だもの」

「そうだな」

志郎はアルミサッシで四角く切りとられた空を見た。秋雨にぐずついた灰色の空だ。三十階を超える超高層物件なのに、ここは中途半端な八階だった。上層部の眺望の広がりなどは期待できないのだ。

新聞をおいて、冷めたトーストをかじった。考えてみれば、自分の人生も中途半端だったのかもしれない。このマンションも望んで購入した物件ではなかった。数年まえまでは、会社の社宅に住んでいたのだ。場所は都心の一等地で、家賃は格安だった。そのままなんとか定年までねばって、たっぷりと老後の資金をためたら、田舎の一軒家でも買えばいいとのんびり思っていた。

安直な計画が崩れたのは、お決まりのグローバリゼーションによってである。志郎はアメリカが嫌いだ。とくに志郎の勤める建築資材会社を買収しようとした東海岸のファンドには憎しみに近い気もちをもっていた。

会社は買収工作に対抗して、財務体質と資産内容を改善しようとした。社員と資産のリストラに手をつけたのだ。都心の社宅は売却され、管理職のポストは削減された。どちらも志郎を直撃したのである。ゆったりと老後を暮らすはずの資金は、この神楽坂のマンションの頭金に化け、購買部の部長の座は同期の吉永に奪われた。以前ならまだポストに余裕があったのだが、役職の数は三分の二に削られていた。

志郎の現在の仕事は、新入社員の採用と研修を見る総務部の社員教育担当だ。役職名は新設のディレクターで、待遇は副部長扱いだった。名前だけは立派だが、出世コースからはずれた閑職である。第一このところの不景気で、新入社員の採用は極端にしぼられていた。教育するはずの社員は毎年数名だった。志郎の会社生活にもう先はない。階段の踊り場で足踏みをするだけである。

「おはよう」

霜降りのスウェット姿で、優樹がのそのそと廊下の奥からやってきた。体温のあがらない未明のトカゲのようである。真奈美が顔を輝かせた。夫の志郎には久しく見せたことのない表情だ。

「あら、今日は早いのね。まだ、おとうさんもいるのに」

「ああ、コーヒーちょうだい」

優樹は志郎とは視線をあわせなかった。乱れた前髪で、もともと目の表情はよくわからない。真奈美はかいがいしく息子にカフェオレをいれてやる。

「どうしたの、こんなに早く、なにかアルバイトでも探しにいくの」

優樹は不機嫌そうにだまったままだ。

「今朝の新聞にあなたのことが書いてあったわよ」

志郎に読ませたように、優樹にも開いたままの新聞をつきつける。優樹は力なく紙面を払うといった。

「ニートだろ。ネットで見て、知ってるよ。でも、新しい現象に名前をつけたって、なにもわかったことにはならないよ」

真奈美は口をとがらせた。

「パソコンばかりいじって。もうあなたも二十歳《はたち》すぎなのよ。このマンションのローンだって、まだ二十年以上も残ってるんだから、おとうさんのつぎはあなたがきちんと働く番なのよ。ちょっとはうちのことも考えなさい」

優樹はしたをむいたまま、スウェットの胸をかいた。ぬるいカフェオレをひと息でのみほすと、黙って席を立つ。

「朝ごはん、いらない」

そのまま廊下をもどって、自分の部屋にはいってしまう。廊下の奥からドアの閉まる音が響いてきた。真奈美が怒りを志郎にぶつけてくる。

「あなたからも、なんとかいってくださいよ。若い人の研修は得意なんでしょう」

確かに仕事はそうだった。息子のような年の社員に、会社での、というより日本の経済社会でのイロハを教えるのだ。だが、真奈美とは違って、その年代の人間のむずかしさを志郎は肌で知っていた。不用意でささいなひと言により、辞めていったエリート候補生もいる。最高の成績で入社試験を越えてきたのに、ひと言の圧力でもろくも崩れたのだ。

「いつか、話してみる」

志郎はそういうと残りのコーヒーをのんで、席を立った。

「あなたっていつもそうなんだから。優樹とあなたはよく似てるわ」

静かに暗い廊下をすすんだ。足音であまり優樹を刺激したくなかったのだ。

「いってらっしゃい」

薄い合板のドアのむこうで、ちいさな声がそういった。まだ自分とつながろうという気もちが、完全になくなったわけではなさそうだ。志郎はほっとして、気に染まぬ仕事のために新しいマンションをでた。

その日の夜十時すぎ仕事からもどると、リビングダイニングのテーブルのうえには、たくさんのパンフレットがならべられていた。優樹が背を丸めて、読んでいる。

「おお、悪いな」

それは志郎が優樹に頼んだホームシアターのパンフレットだった。志郎は若いころから映画が好きで、引退して田舎に一軒家を買ったら、一番広い部屋を専用にして、ホームシアターをつくるのが夢だった。優樹が目をあげずにいった。

「新しい液晶プロジェクター、すごくよかったよ。もう三管式にも負けないくらいだった」

志郎は上着を椅子の背にかけた。

「黒もちゃんと沈むのか」

「うん、『スター・ウォーズ』の最初のシーンで、宇宙が灰色じゃなくちゃんと漆黒《しっこく》に見えた」

「そうか」

志郎と優樹は趣味が似ていた。好きな映画の傾向も同じである。せっかく映画を観るのなら、このみじめな現実からなるべく遠く離れた別世界に遊びたい。リアリティがないといって、ＳＦやファンタジーを敬遠する人がいるけれど、映画の素晴らしさは「嘘」の素晴らしさだと思っている。

「デジタルアンプもいいのがあったよ、ソニーの新しいやつ」

志郎はネクタイをゆるめた。自分で冷蔵庫までいき、麦茶に氷を落としもどってくる。

「五十万くらいするフラッグシップだろう。音がよくて、あたりまえだ」

実際にはAV機器は値段どおりの実力ではなかった。高性能であることは理解できても、どうしても好きになれない傾向の音や映像がある。

「違う。あれのしたの新型が、半分以下の値段ででたんだ。とうさんの予算に納まると思うけど」

「それはいいな。今度、いっしょに秋葉原にいって、試聴してみよう」

さすがに自分の息子だった。真奈美はなんでも値段を見ずに買うが、優樹はいつも買いものは几帳面だった。机の端を見ると、交通費の残りの小銭がきちんと積んである。百円玉の銀と十円玉の茶。この四年間、この子にはこづかい以外の収入はなかったのだと思い、胸をつかれる。

「かあさんは、風呂か」

「うん」

志郎の声の調子が変わったのに、優樹も気づいたようだった。顔をあげて、一瞬父親の表情を読んだ。視線はすぐになにかを恐れるようにパンフレットに落ちてしまう。

「かあさんのいうようにあわてて仕事につかなくてもいいとは思う。だけど、そろそろ将来のことも考えてみないか」

優樹の顔がさらにしたをむいた。蛍光灯のペンダントライトの青い影にはいる。

「優樹が高校をやめてから四年になる。大学にいったと思って、この四年間はあまり口だしせずに、おまえのことは放っておいた。でも、そろそろな」

優樹は子どものころから気の弱い性格だった。志郎の仕事の関係で転校が多かったのが、災いしたのかもしれない。どこの学校に転入しても、慣れるまでに最低一年はかかってしまうのだ。子どものころの表情のままの長男が、かすれた声でテーブルに言葉をおいた。

「うん、わかってる。わかってるんだけど……」

言葉はそこで切れてしまう。志郎はじっと待ったが、あとは続かなかった。いけないと思ったが、口を開いてしまう。それは自分も学生のころ人からきかれて、一番嫌だった質問である。

「将来、なんの仕事をやりたいんだ。なにか、心に決めていることはあるのか」

「あることはあるけど」

冷たい麦茶がのどに染みた。このごろの秋は、いつまでも夏の続きのようだった。十月になっているのに、日が暮れてからでさえ蒸し暑いことがある。なにもせぬまま引き伸ばされた優樹の青春と終わらない夏を、志郎は胸のなかで重ねあわせた。声がやさしくなったのが、自分でもわかる。

「なんなんだ、いってごらん」

優樹の声は身体と同じで細い。

「パソコンとか、ＣＧとか、あまり人に会わずにできる仕事」

「おまえは人と会うのが苦手だもんな」

優樹が顔をあげた。二十歳をすぎているのに、驚くほど幼い表情をしている。高校のころから着ているブルーハーツのＴシャツは、洗濯を繰り返して肌が透けるほど薄くなっていた。優樹は気にいると同じものばかり着る癖がある。父と同じ癖だ。

「ぼくはまじめだし、仕事をまかされたら、無理してもちゃんとやるだろうって思う。そういう自信はあるんだ。今日も秋葉原の中央通りをはしごして、パンフレットを全部集めた。十一軒の量販店をまわったよ」

子どものころなら、素直にほめていただろう。だが、もういいおとななのだ。志郎は黙って続きを待った。

「でも、誰か他人とうまく調子をあわせることが、ぼくにはできないんだよ。人から見たらどうでもいいことで引っかかったりして、ぜんぜん先にすすめなくなったりする。誰にどんなふうに見られているかって想像すると、胸が苦しくてたまらなくなる。ぼくだって、こんな生活は抜けだしたいよ。でも、全部わかっているのに、一歩も動けないんだ」

志郎には返す言葉がなかった。会社生活における悩みはなんですか。総務部の資料で見たことがある。たいていの同僚はその質問に、職場における人間関係とこたえていた。優樹の苦しみは、誰もが一生抱えて生きていくしかない重荷なのだ。

「ねえ、とうさんは、新人研修係なんでしょう。そんなふうにこぼすフレッシュマンには、仕事だったらどうこたえるの」

仕事などほとんどないのだと、息子にはいえなかった。志郎はなんとか格好のつく返事をひねりだす。

「昔は頭から馬鹿野郎と怒鳴り飛ばしておしまいだったらしい。今では、そんなことはできないな」

「どうして」

優樹がテーブルに身体をのりだしていた。自分の言葉に関心があるのだ。それだけで志郎はどこか誇らしい気もちがわいてくるのをとめられなかった。

「急に辞められたらかなわない。それはうちの部の責任問題になるからな。怒鳴るんではなく、ソフトに新人がなんに苦しんでいるのかカウンセリングをするだろう」

「それで、どうなるの」

正直にこたえるしかないだろう。優樹は父親から確かなことを求めているのだ。

「どうにもならない。どれだけ親身に話をきいても、辞める人はやっぱり辞めていく」

優樹には苦しい話題のようだった。またしたをむいてしまう。

「どこにでも、ぼくみたいなダメ人間がいるんだ」

志郎は明るいリビングダイニングで、テーブル越しに優樹とむきあっていた。窓の外は東京のくすんだ夜空だ。疲れて汗ばんだ身体で、暗い言葉を息子からきくのは、身体のなかで骨がゆるんでいくようだった。しっかりと結ばれていた骨の連結がはずれ、ばらばらに身体のなかを落ちていく。残るのはぶよぶよと形の定かでない皮の袋である。それが中年になった自分のほんとうの姿なのだと、志郎は思う。

「そういう人もいるが、それはダメ人間というわけじゃない。うちの会社にあわなかったというだけだ。ほかでなら、もっと力をだせる人かもしれない」

自分も同じだとはいえなかった。どこか別な場所で、別な仕事をしていれば、あるいは別な女性と結ばれていたら、また別な人生になっていただろう。半世紀を生きても、人の心はもうひとりの自分の可能性を捨て去ることはできないようだった。

「とうさんは、ぼくがどうしたらいいと思う」

壁に開いた穴のような目で、優樹は志郎を見つめてくる。空っぽで、透明な目だ。こんなときのために五十年近い経験はあるのだろうが、志郎にはこたえがわからなかった。なにか上手なアドバイスができたら、息子のやる気を引きだすことができたらと願ったが、黙りこんだのは父のほうである。腕を組んで天井をむいた。

禁物なのは、むやみに励ますことだ。志郎は仕事で学んだ手をつかった。いいこたえがでないのなら、最悪のこたえだけ避けておけばいい。

「すまんな。どうやって優樹が生きていけばいいのか、とうさんにもわからない。誰だって、そう楽して生きてるわけでもないしな。こういうときに、うまいことをいえる人もいるんだろうが、とうさんはダメだ。ダメ人間が研修なんかやるんだ。会社って、おかしなところだな」

優樹がTシャツの裾を目に押しあてている。どうしたのだろうと思ううちに、二十歳すぎの長男は泣いていた。つられて志郎も泣きそうになり、あわててテーブルのパンフレットを手にした。

「お帰りなさい、おとうさん。お風呂どうぞ」

廊下の奥で真奈美の声がした。席を立ち、廊下にでる。ドアの手まえでテーブルを振り返った。優樹はプロジェクターのパンフレットに顔を隠している。

「かあさんには、ないしょだ。また、話をしような」

10ビットの新画像処理ICを採用したと誇らしげに書かれた表紙のむこうで、優樹はちいさくうなずいた。

その夜、夫婦の寝室で真奈美はいった。

「なんだか最近おかしな手紙がきてるんだけど」

ベッドサイドのスタンドだけがついていた。薄暗い天井を志郎は頭のうしろで腕を組んで見あげている。興味はなかったが、反射的に口にする。

「手紙って、なんだ」

「それがおかしな手紙なの」

真奈美は化粧台の引きだしから、白い封筒を抜いてベッドにやってきた。志郎に手わたしていう。

「したの郵便受けにはいっていたの。切手も貼ってないし、変な手紙なのよ」

郵便ではなく、自分でここまで運んできたのだろう。中央にちいさな文字で、優美《ゆみ》さまと書かれている。

「誰だ、優美って」

志郎は淡いブルーの便箋を開いて、文面を読んだ。

優美さま

突然のお手紙で驚かせてしまって、すみません。どうしても我慢できずに、あなたの書きこみから手をまわして、住所を調べてしまいました。今度はネットではなく、直接会ってお話をさせてください。ぼくもあなたと同じように、働くことや人間関係を息苦しく感じています。きっとお互いにいい相談相手になれると思う。つきあうのは、そのあとでいいです。ではまた、メールします。

NEET22

「なんだ、これ」

真奈美も身体を寄せて、手紙を読んでいた。怪訝《けげん》な顔でいう。

「夕刊をとりにおりたら、郵便受けにはいっていたの。なにかの間違いだとは思うけど、宛先の優美の優が、うちの優樹と同じ字だから、もしかしたらと思って」

志郎は長男にきこえるはずがないのに、声を低くしてしまった。

「優樹にはいったのか」

紺のスウェットの真奈美は首を横に振る。首筋のしわはこれほど深かっただろうか。

志郎があれこれと考えているうちに、妻はいった。

「もし優樹が同性愛だったら、どうしたらいいの。ニートでゲイなんて、うちにはすすみすぎてる」

そんなことになれば、孫の顔も見られなくなるのだろうか。志郎は心の波紋を隠していった。

「優樹はそんなことはないはずだ」

息子の好きだったという女性タレントの名前を必死で思いだそうとした。小学校のときに初めて好きになったのも、確か同級生の女の子だったはずだ。

「こういう話は、男同士のほうがいいでしょう。優樹に今度確かめておいてください」

スタンドの明かりを消して、真奈美が横になった。志郎は眠れずに暗い天井を見あげていた。黙ってはいるが、妻も心配で眠れないのが息づかいでわかる。手を伸ばし、真奈美の手にふれる。なにもいわずに強くにぎり返してきた。

志郎は真奈美と手をつないだまま、窓からの薄明かりに切り分けられたクロス張りの天井を見ていた。つぎの日も仕事があるのだが、その夜、眠りはなかなかやってこなかった。


志郎の家族三人が住む神楽坂のマンションは、３ＬＤＫである。三部屋のうち、ひとつは夫婦の寝室、ひとつは優樹の部屋、最後の一室はＡＶルームになっていた。プロジェクターはまだ導入していないので、三十六インチの古いワイドテレビにＤＶＤプレーヤーをつないで、システムを組んでいる。さして高価なスピーカーではないが、５・１

チャンネルのサラウンドシステムもセットしてあった。

土曜日の午後、志郎と優樹はソファにならんで、立て続けに映画を観た。妻は最初だけつきあったが、早々にリビングに退散してしまう。もっともロジェ・ヴァディム監督の『バーバレラ』のあとは、いまさらの『スター・ウォーズ』集中上映なので、ＳＦ映画に関心のない真奈美につきあえというほうが無理なのだろう。

ヨーダがライトサーベルを振りまわし、つぎつぎと帝国軍の兵士を倒す場面を観ながら、志郎はいった。

「うちのポストにおかしな手紙がはいっていた。これなんだが」

ソファの足元に寝そべる優樹に切手のない手紙をさしだした。受けとって、封筒の宛名を見たとたん、優樹は顔色を変えた。便箋を抜いて目を走らせる。しばらく黙ってから、力のない視線をブラウン管にもどした。志郎はなんでもないという調子でいった。

「その優美って、優樹だったのか」

長男はうなずいた。

「おまえは、その、同性が好きなわけじゃないんだよな。とうさんはそういう人たちに偏見をもってるわけじゃないけど、ほんとうのことを教えてほしい」

自分を笑うかすれた息が、優樹から漏れた。

「違うよ」

「でも、優美というのは、おまえなんだろう」

優樹はソファに座る父に硬い背中をむけたままいう。

「そう、でも、あれはネットのなかだけのおふざけだ。ぼくは別に男が好きなわけじゃない。でも、自分が若くてかわいい女の子だったら、生きるのが楽だろうなと思っていた。あくせく働かなくてもいいし、女の子であるというだけでちやほやされる。それで一回女性名でニートが集まる掲示板に書きこみしたら、うんざりするほどメールがきた」

ネットのなかでだけ女性を演じる。志郎には息子の気もちが理解できなかった。違和感を抑えて、声を和らげる。

「それでメールのやりとりをしたのか」

「うん、話のあいそうな人にだけ返信して、何度かメールを交換した。NEET22もそのなかのひとりだ」

ドアの外でもの音がした。真奈美が息を殺して、きき耳を立てているのだろう。

「その人がうちの住所を調べあげたんだな」

「そうなんだろうね、きっと。でも、こうなったら、ほんとのことをメールして、あやまっておくよ。だけど、あの掲示板で出会った人が、この四年間でぼくにできた数すくない知りあいだったんだ」

優樹の背中から命の力が漏れだしていくようだった。薄い肩は丸まり、その場に崩れそうだ。志郎は思わずいった。

「女の振りをしたら、すこしは楽になったのか」

うなずいて優樹は泣き笑いの声をだした。

「うん、誰かに求められてる感じがしたよ。下心だけのつまらないやつでも、毎日メールを送ってもらうのは、けっこううれしかった。ねえ、とうさん、こうやって自分の檻《おり》のなかでだらだら暮らしてるだけなのに、どうして生きてることって、こんなにつらいんだろう」

こたえなどでるはずのない質問だった。人間はもともと考えるようにはつくられていないのだ。移動して、食物を見つけ、安全なねぐらを探す。脳はそのために発達したのである。動かずに自分のことだけを考えている人間は、結局自分を憎むようになる。けれど、恐怖で固まってしまった心を、どうやって動かしたらいいのだろうか。優樹はひとりきりの子どもである。最初の一歩を踏みだす手助けをしてやりたかったが、この四年間志郎にはそれができずにいた。

マンションの薄いドアのむこうから、真奈美が声を殺して泣いている気配が透けてくる。志郎は会社での日々を思い浮かべた。誰に対してかわからない怒りが、急にわいてくる。つぶやきで始まった志郎の言葉は、しだいに音量を増していった。

「働かなくても、学校にいかなくても、仕事を探さなくても、いいじゃないか。要するに全部、経済のものさしで人をはかってるだけだろ。なにがニートだ。どこか外国の言葉をもってきて、シールを貼るみたいに人を分類する。おれはもうそういうのはたくさんだ。新人研修のディレクターなんて、仕事はほとんどないんだ。今年の新人は三人しかいないんだぞ。会社だって、ほんとうなら、おれに早く辞めてもらいたいんだ。同期の吉永とは給料が年に三百万以上も差がついた」

長男は驚いて、別人のように話す父親を振り返っていた。ドアの外では真奈美が隠すことなく泣き声をあげている。

「なにが夢のマイホームだ。まだローンは二十年以上も残ってる。七十になって、どうやってローンを払えっていうんだ」

志郎は長男の肩に手をおいた。

「優樹、おまえはゆっくりと自分の生きかたに迷えばいい。五年でも、十年でも、とうさんが元気なうちは、いくらでも迷って苦しんでいいぞ。おまえがくうくらいなら、どうにでもなる。日本の経済に役立つ人間になんか、ならなくてもいい。そんなのはとうさんだけで十分だ。すすむ道が決まったら、金にならなくていいから、自分が満足できるだけ働くといい。おれは、いつだって、おまえのそばにいてやるからな、いいな」

おびえたような優樹の表情が、また子どものころの無邪気さにもどっていく。志郎は長男を見ながら思った。子どもとはいえないこの二十歳すぎの青年が、自分に背負わされた十字架なのだろう。いいだろう、それなら倒れるまで、優樹をおぶって歩こう。

「明日、秋葉原にいって、新型のプロジェクター、買おうな」

優樹は小学生のようにうなずいて見せる。真奈美が廊下をリビングにもどる足音がきこえた。志郎は声を張った。

「今夜はごちそうにしてくれ。もういい会社員の振りをするのはたくさんだ。優樹、おまえももっと遊べ」

志郎はあきれるほど長いエンドロールの流れる画面をとめて、新しいディスクをトレイにのせた。それは数万年まえの遥か遠い銀河の物語で、こちらのリアルな世界とはひとかけらもつながりのない映画だった。

夕食の準備ができるのは、じきだろう。志郎と優樹はそれぞれ別な思いを抱え、コンピュータで合成された美しい星の世界に目をやった。

落ち葉焚き

もう恋をすることはないと思っていた。

佐々木静子《しずこ》は六十三歳になる。夫の正明《まさあき》がなくなって七年。この年月が長いのか短いのか、自分でもよくわからなかった。とまっている時間に長いも短いもないのかもしれない。最初の二年ほどは、昼も夜も同じだった。日々はカーテンの開け閉めのようにすぎていく。薄い布を開いて閉じると一日が終わり、ひとりきり暗闇のなかに残されるのだ。

どうやって、あの暗闇からもどってこられたのか、静子にはわからなかった。だが、ひとつだけはっきりとしていることがある。どんなに暗く悪いときでも、永遠に続くことはない。それは幸せのときが続かないのと同じである。静子の場合、夜明けの最初の兆しは新宿区役所からの一通の手紙という形でやってきた。

その手紙には道路の拡幅工事の告知がはいっていた。赤城下町《あかぎしたまち》に夫が建てた家は、もう築三十年近くになっていた。早稲田通りに抜ける道を広くするために、その思い出の家をとり壊したいというのだ。土色のモルタルに雨染みの浮いた木造の二階家である。

静子は寂しさと同時に、解放感を感じた。

正明がなくなってからの数年間で、目につく夫のもちものはすべて処分していた。背広、カバン、靴、本、手紙。趣味だった釣り道具と模型飛行機の数々。別に夫が憎かったわけではない。二度ほど浮気をしたのは知っている。当時はおおさわぎをしたものだが、正明はまじめに働く、心根の優しい人間だった。遺品を見ると、夫のことが思いだされてならないのである。

ひとときのあいだは、思い出にひたるのもよかった。だが、静子の心は老いをむかえて、暗いほうに傾きがちだった。鮮やかな記憶は最初は息がとまるほど甘い。心の隅まで明るく照らされる笑顔だったり、身体をあわせているときの頭のにおいだったり、まわした腕にあまる背中の広さなど、いくらでも生々しい記憶はよみがえる。だが、うっとりしたあとには、すべてを失ったという冷えびえとした思いが、ときに数日も持続するのだ。

あと捨てるものは、夫の残したこの家だけ。そこへ届いた役所の手紙だった。その後、説明にあらわれた役人は代替地として、みっつの候補を示した。この土地と同じくらいの価格の区内の物件である。ひとつはとなり町の築地町《つきじまち》にある一軒家。つぎは白銀町《しろがねちょう》の相生坂《あいおいざか》途中にある更地だった。そこなら自分で家を自由に建てられるという。最後が神楽坂の坂うえに建ったばかりの高層マンションである。

静子には時間があったから、友達といっしょに三カ所の候補をじっくりと見てまわった。築地町は築三年ほどと、まだ新しいにおいのする家だった。だが、ひとり暮らしの静子にはすこし広すぎるし、日あたりもあまりよくなかった。

相生坂の途中の土地は、日あたりがよかったけれど、今さら家を建てるのも面倒である。急な坂をのぼりおりして、神楽坂の商店街まで買いものにいくのも、将来を考えると不安だった。

最後に残ったのは、つい最近まで反対運動の起きていた高層マンションである。部屋は南東むきで、日あたりがよかった。鍵ひとつででかけられる便利さと、いざというときには二十四時間人のいる一階の受付も心強かった。ひとつ問題があるとすれば、十九階という高さだが、気になるならカーテンを閉めて外を見なければいいのだ。

いっしょに内覧にいった守山《もりやま》かなえのひと押しで、静子の心は固まった。

「こういう部屋で、新しい人生を始めてみるのもいいんじゃない。若い人みたいに。まだ、わたしたちは、老けこむには早すぎるわよ」

かなえも数年まえに夫をなくしていた。数十年来の地元の友人である。このあたりで育った人間は、ほとんど同じ新宿区内にとどまっていた。さして高級ではなく、建てこんでもいるが、暮らしやすく便利で、なにより昔からの風情《ふぜい》が残っている。神楽坂の近辺は、そこが魅力なのだ。

ひとり暮らしの静子が、二宮雄介《にのみやゆうすけ》と初めて出会ったのも神楽坂だった。坂したの甘味屋でかなえが開いた未亡人だけの会である。あれは去年の秋の暮れだった。遅い午後のひととき、気をつかわなくていい女性だけの集まりだったはずである。それが急に様子が変わったのは、かなえの携帯電話が鳴ってからだ。

石畳の坂を見おろす二階の窓際の席だった。かなえは携帯にでると、いきなり華やいだ声をあげた。

「あら、二宮さん」

声の調子で、すぐに男性だと静子にはわかった。その場にいた残るふたりの女性も同じだったのだろう。年をとれば、男女の差などわずかになる。そんなことは、若い人のいいそうな底の浅い考えだ。いくつになっても、男というのはいいものだった。かなえがいった。

「あら、近くにいるの。じゃあ、顔をださない。こちらはうら若い乙女が四人もいるのよ。女ばかりでさびしいねっていってたところだから」

その言葉で田舎ぜんざいや黒蜜みつまめを、気安くたべていた女性たちの顔色が変わった。急に髪を押さえたり、襟元を直したりする。かなえは通話を切るといった。

「まえから話していた二宮さん。今日ね、ちょうど飯田橋の駅から帰るところだったんだって。途中だから、これからお店にくるって」

かなえは窓を鏡代わりにして、自分も身づくろいを始めた。指先でつまんだうしろ髪を首筋に沿わせていう。

「二宮さんはおしゃれでいい男だから、みんな会ったら驚くわよ」

髪を明るい紫に染めたばかりの原田徳子《のりこ》が口を開いた。いつも彼女は正直なものいいをするのだ。迷惑なときもあるが、そのときばかりは全員の思いを代表していた。

「その人、独身なの」

かなえは窓にむかって微笑んで見せた。予行演習のつもりなのだろう。

「そうよ。奥さんがなくなって、五年になるらしい。うるさい子どもも独立したっていうし、アバンチュールにはぴったりの殿方よ」

声にならない嘆声が空席の目立つ甘味屋の二階に流れた。

「それならそういってくれればいいのに。わたし、ほんとうの普段着できちゃった。このパンツなんてジャージだかもんぺだかわからない」

徳子がそういって、みんなが笑った。静子は自分の服装を見おろした。灰色のロングスカートに、若い店員に顔色が明るく見えるといわれて買ったピンクのセーター姿である。二宮がいい男でも、別に静子に関心はなかった。夫の正明を超える人はもう自分の人生にあらわれることはないだろう。人を好きになる時期は、もう終わったのだ。

半世紀をゆうに生きても、人間には十分先のことさえわからないのだ。静子はたべ残したくずもちの皿をまえにして、そう思い知ることになる。

「こちら二宮雄介さん」

同世代にしては長身の男がテーブルのわきで会釈した。紺のスーツに白いシャツ、ネクタイはない。髪は銀に変わっただけで、まだ豊かだった。わずかに後退した額が日に焼けて、逆に精悍《せいかん》に見える。

先に紹介されたふたりが舞いあがっているのが、静子にもはっきりとわかった。素敵な人だけれど、自分はあたふたするのはやめておこう。かなえがいう。

「で、最後は佐々木静子さん。うちの未亡人クラブの花よ」

静子は軽く頭をさげた。雄介はじっと表情のわからない細い目で見おろしてくる。笑っていなくても、目じりに笑いじわが浮かんでいた。優しそうな人だ。静子はただ荒っぽく男らしい人間が苦手だった。力をもっている男性の繊細さが好きなのだ。雄介はいった。

「おとなりに座ってもいいですか」

となりのテーブルから、座面に藺草《いぐさ》を張ったスツールを運んで、静子の横においた。背をただして座っている。徳子がいった。

「二宮さん、姿勢がいいんですね」

表情をあらわにせずに雄介がこたえる。

「タクシーに長くのっていたので、腰をやっているんです。普段から気をつけて、背筋を伸ばしておかないと、また腰痛がでますから」

あら、とかなえがいった。

「うちの主人も腰を痛めていました。よくマッサージさせられたものだけど、いつかわたしが看てあげる」

「ずるい、守山さん」

笑い声が巻き起こる。静子は雄介の横顔に視線を走らせて思った。いくつになっても異性の力というのは、すごいものだ。さっきまでここにいる四人は、みな陸《おか》にあがった魚のような目をしていた。それが今では、生きいきと濡れて光っているのだ。還暦をとうにすぎているのに、女学生のような華やかさである。

雄介は口数が多いほうではなかった。きかれたことにはきちんとこたえるが、自分から話そうとはしない。それよりも静子が感心したのは、気配りのよさだった。サービス業で生きてきたせいかもしれない。四人の女性を相手にして、誰かを特別扱いしたりはしないのだ。好悪をださずに、平均して全員と話している。

その日の会食が終わる一時間後には、雄介は神楽坂未亡人会の特別メンバーのひとりとなっていた。

三カ月がすぎて、冬の終わりになった。雄介は忘年会や観劇など未亡人会のイベントになくてはならない存在になっている。裏では誰かがアタックをしたという話があったけれど、雄介の反応は変わることなく、四人と同じ距離を保ってつきあっているようだった。

静子の携帯電話が鳴ったのは、神楽坂の空が灰色に凍てついた二月の午後だった。

「佐々木さんですか、二宮雄介です」

雄介から電話をもらったのは初めてのことだ。静子は驚きと同時に、身体のなかで波がうねるのを感じた。声が硬くなってしまう。

「はい、佐々木でございます」

雄介は男らしくはっきりといった。

「メゾン・リベルテの近くにきています。よかったら、いっしょに神楽坂を散歩しませんか」

静子は十九階の空を見た。天気はあいにくの曇りだった。かなり冷えこんでもいるようだ。あたたかなリビングと白いクロスの壁。いつまでもこのコンクリートに守られていていいのだろうか。

「二宮さん、おひとりなんですか」

「はい、今日はひとりです」

じっと返事を待っている空気がわかった。静子は勇気をふるい起こしていう。

「ロビーで待っていてください。五分、いえ、十分でおります」

身支度を整えて、簡単な化粧をすませるのに、実際には二十分かかった。マンション一階の広いロビーに点々と配置されたソファセットのひとつに、雄介は姿勢よく座っていた。映画で観る昔の侍のようだ。静子が近づいていくと、立ちあがって会釈した。

「急にお呼び立てして、すみません」

静子は首を横に振ってこたえる。

「いえ、退屈していましたから。今日はなにかのご用があったんですか」

雄介は最初に会ったときの紺のスーツに黒いオーバーコートを重ねていた。生地の打ちこみのしっかりした厚いウールである。最近の軽いコートとはシルエットが違う。雄介は表情のない顔をかすかに赤くしたようだった。

「いえ、用事はありませんでした。今日は佐々木さんと会うために、神楽坂にきたんです」

返事ができなかった。雄介は怒ったような顔でいう。

「さあ、散歩にいきましょう。ここはちょっと暑すぎます」

雄介は先に立って、大理石張りのロビーを歩いていく。居室は普通のマンションと同じだが、戸数の多い物件なので、共有施設は豪華なのだ。フロントのまえをとおりすぎると、制服を着た女性が会釈してくれた。

雄介と静子は神楽坂上の交差点にでた。ゆっくりと坂をくだり、毘沙門天《びしゃもんてん》の境内にはいる。雄介がいった。

「ここがコンクリートじゃなかったころのことを覚えていますか」

地元育ちの静子は、境内がまだむきだしの土だったころ、ここでよく遊んだものだった。社《やしろ》も木製で記憶のなかでは、ほとんど半分くらいのおおきさである。うなずいていった。

「二宮さんも、そのころよくいらしていたんですか」

「わたしはここの一方通行をあがって、まえをとおっていただけです。あのころの神楽坂は、タクシーの運転手には手がでない街でしたから」

今はさびれてしまったが、静子が子どものころはそれはにぎやかな花柳《かりゅう》の街だった。夕方になるときれいに日本髪を結いあげた芸者さんが連れ立って、この坂をのぼりおりしていたのである。自分もいつかおおきくなったら、ああしてきれいな着物をきるのだと静子は思っていた。それが今ではファミリーレストランやカフェが増えて、普通の商店街と変わらなくなってしまった。静子はいった。

「昔の雰囲気が残っているのは、路地の奥のほうです。ちょっといってみましょう」

今度は静子から先に、表通りの商店のすき間の狭い路地にはいった。薄暗いコンクリート張りの路地は、ほんの十メートルもすすむと急に幅を増して、打ち水のされた石畳になる。生き残った料亭の黒板塀が片側に延びていた。どこかの家から三味線の音が響いた。始まりも終わりもない不思議な旋律を、繰り返しさらっているようだ。雄介は感心したようにいう。

「いいですね。昔みたいだ」

塀のむこうで落ち葉でも焚《た》いているようだった。白い煙がかすかに路地を流れて、香ばしいにおいがする。雄介は深呼吸をしていった。

「昔はどこの家でも落ち葉焚きをしたものです。いつの間にか東京は焚き火もできない街になってしまった。佐々木静子さん」

雄介が急にフルネームで呼んだ。静子が驚いて振り返ると、雄介は真剣な表情でこちらを見つめている。黒板塀に黒のコートが溶けこむようだ。男らしい、感情を抑制した顔が宙に浮いている。

「決していやらしい気もちでいうわけではありません。わたしとおつきあいしてくれませんか。うちのをなくしてから、五年になります。そのあいだ誰ともつきあう気にはなれなかった。でも、あなたなら」

静子は身体のなかを電気が流れたように感じていた。好意をもっている男性から、こんなふうに告白される。それは数十年来忘れていた感覚だった。二月の空のした、身体の芯に灯がともるようだ。

「わたしで、いいんでしょうか」

雄介は姿勢をただしたままいった。

「はい」

静子は深々と頭をさげた。

「よろしくお願いします」

初めてのデートは、それから一時間半続いた。神楽坂の路地を縫って、裏町から裏町へと抜けていく。静子は土地勘を総動員して、古い神楽坂を雄介に見せてやった。歩き疲れてはいった喫茶店で、雄介は笑った。

「いやあ、普段、あまり歩かないですから、今日は疲れた」

いつもなら冬の日にこれほど外にでていれば、手の先は白く凍えているはずだ。静子は指先のあたたかみを不思議に思いながらいった。

「普段はお車のことが多いんですか。じゃあ、今日も自動車でくればよかったのに」

雄介はあわてて首を横に振った。

「まだおつきあいもしていない女性と、車のなかでふたりきりになるわけにはいきませんよ。でも……」

「でも、なんですか」

雄介はかすかに頬を上気させた。

「つぎからは、ドライブしましょう。もう、ふたりきりでも、だいじょうぶです」

静子は雄介の顔をまともに見ることができずに、細かな傷のついたテーブルを見ていた。雄介も自分から視線をはずしている。同じように恥ずかしいのだ。それがわかると、静子のなかで身体がよじれるようなよろこびが生まれた。


つぎのデートからは、雄介のひとつまえの型のニッサン・グロリアでドライブするのが、ふたりの習いになった。渋谷や新宿は避けて、上野や浅草など東京の昔の繁華街をゆっくりと流していく。もう無理をして、新しい流行を追う必要はないのだ。

「タクシーの仕事も、やりがいがけっこうありましてね。カーナビなんてありませんでしたから、東京中の道を覚えるのがたいへんでした。でも、それができるようになると、たのしくてね。あの仕事には一日として同じ日というのがないんです。誰にも気をつかわなくていいですし」

助手席に座った静子に雄介はよく話した。普段は無口だが、ハンドルをにぎると気軽に話ができるようである。

　ふたりともさして裕福ではなかったから、贅沢はしなかった。仕事柄、雄介は安くてうまい店をよく知っていたし、あまり買いものもしない。でかけるのは、公園や博物館や美術館など、公立の施設が多かった。

　ふたりが最初に静子の部屋で夜をすごしたのは、春になってからのことである。これほど長いあいだ、そうした行為をしていなくて身体のほうは準備ができるのだろうか。静子の不安はとり越し苦労に終わった。

　夢中になって抱きあい、雄介にすべてをまかせているうちに、自然にふたりはひとつになっていた。男性に満たされる充実感は素晴らしかった。手を伸ばせば、抱くことのできる身体があるのは、素敵なことだった。静子は初回から記憶になかったほど濡れたのである。

　年齢のせいもあるのだろうか、雄介は二回に一度は最後の行為まで至らないことがあったが、それでも不満ではなかった。裸になって身体をあわせ、ふたりで話をするだけで十分に満足なのだ。

　遅い春から夏にかけて、雄介と静子はふたたびめぐってきた新婚の季節を味わっていた。神楽坂未亡人会のメンバーも、ふたりの仲が深まると、もういじわるはいわなくなった。それには雄介の人柄とふたりの雰囲気がおおきかったのかもしれない。長年連れ添った夫婦のように、ふたりのつくる空気はなじんでいたのだ。
当人たちがまるで気づかないうちに、誰も手をだせない空気が穏やかに流れている。
静子は暗闇を抜けだし、影のささない光のなかにいた。

その週末、雄介は静子の部屋に泊まりがけで、遊びにきていた。夏の終わりの土曜日の夕どきである。雄介も十九階の窓からの眺めにようやく慣れてきたころだった。狭いキッチンで、静子が食事の準備をしていると、突然インターホンが鳴った。一回ではなく、二回である。誰かが部屋のまえまできているのだ。

インターホンの受話器をとると、画面に見たことのない若い女性が立っていた。なにかのセールスだろうか。それにしては普段着に近い格好である。

「はい、なんのご用でしょうか」

若い女は硬い表情のままいった。

「この部屋のなかに二宮雄介がいるのは、わかっています。開けてくれませんか」

静子の顔から血の気がうせていった。なにも悪いことはしていない。そうわかっていても、夫ではない男性とふたりでいることへの罪悪感は消えない。

「園美《そのみ》……」

いつのまにか雄介が静子のうしろに立っていた。液晶画面の女が叫んだ。

「おとうさんなの、開けて。話があるんだから」

「ちょっとお待ちください」

静子はエプロンをとって、玄関にむかった。雄介もあとをついてくる。スチールの扉を押し開けると、雄介によく似た女性が立っていた。ひとりではなかった。カメラには映らなかったが、ベビーカーでは赤ん坊が眠っている。ピンクのベビードール。きっと女の子なのだろう。

「なんだ、急に押しかけて。佐々木さんにご迷惑じゃないか」

静子はスリッパをそろえた。

「どうぞ、おあがりください。佐々木静子と申します」

「二宮の娘で、落合園美といいます。失礼します」

こわばった顔のまま、狭い靴脱ぎ場にベビーカーを押して、園美がはいってきた。目をあわせずにストラップをはずし、赤ん坊をベビーカーからとりあげる。

「こちらへ」

静子は先に立って、廊下を奥のリビングまですすんだ。眠っている赤ん坊を胸に盾のように抱いて、園美がついてくる。静子は怒りの視線を背中に感じずにはいられなかった。雄介は困惑しているようで、いつもとは違って背中が丸まっている。

「今、お茶をいれますから」

静子は気もちをおちつかせるために、ひとりキッチンにこもった。リビングのソファからは声を殺していいあっている親子の険しい様子がうかがえた。神楽坂したの和菓子屋の名物である抹茶のババロアがあったので、煎茶といっしょに盆にのせた。深呼吸をして、戦場になったリビングにもどる。静子がテーブルに湯のみをおくと、お茶にもふれずに園美が口火を切った。

「佐々木さんはどういうつもりなんですか。うちの父は、死んだ母ひと筋で、まじめな人でした。それなのに、最近は家をあけることが多いし、泊まり歩いているみたいだし。ご近所でも噂になっています」

「待ちなさい、園美」

雄介が割ってはいったが、若い娘の感情は抑えられないようだった。

「待たないわよ。おかあさんに、もうしわけないって思わないの。いい年をして、いちゃいちゃして、愛だの恋だの、恥ずかしいと思わないの。みっともないよ」

静子はそれまで園美に頭をさげるつもりだった。確かに世間体というものもある。だが、最後の言葉で逆に腹がすわった。赤ん坊を胸に抱いて涙を流す園美のまえに正座する。

「待ってください。いったいいくつから、恋をするとみっともなくなるんですか」

静子は声を抑えて、そういった。目はまっすぐに若い娘を見ている。園美は赤ん坊を産んだあとらしく、張り切った乳房をしていた。目じりにもまだしわひとつない。顔は雄介に似て整っていた。

「いくつからなんて、あるわけないでしょう。でも、隠居するくらいの年なんだから、こんな半同棲がみっともないのは、佐々木さんにだってわかるでしょ。世間のみんなに、あなたがうちの父とつきあってるって、ちゃんといえるんですか。佐々木さんは、若く見えるけど、おいくつなんですか」

こんなときの世辞はすこしもうれしくなかった。

「六十三です。あなたにはわからないだろうけど、いくつになっても誰かを好きになる気もちはあるものよ」

すこし年をとったからといって、なぜ別な生きものでも見るように、自分を見るのか静子にはわからなかった。赤ん坊時代や子どものころ、恋をしていた若い日に結婚生活、そしてあっという間にすぎてしまった中年期。すべてがひとつながりの時間のなかにある。全部のときが重なるようにして、今の自分がある。六十三歳はそれらすべてをすこしずつあわせもっているのだ。等しく子どもで、少女で、女で、妻であること。それが若くきれいな肌をしたこの人には、なぜわからないのだろうか。

「うちの父を返してください。父には死んだ母だけでいいの。佐々木さんはきれいだから、またほかの男の人を探せるでしょう。おとうさんを誘惑しないで」

静子は夫が死んでからの七年間を思った。孤独で灰色の日々。自分がそのあいだに誰を誘惑したのだろうか。雄介のような男性が、残りの短い人生でまた簡単に見つかるものだろうか。涙がでそうになる。雄介がソファを立ち、静子のとなりに正座する。

「まえにも園美にはいったはずだ。わたしは静子さんとは結婚するつもりはない。ただこうしておつきあいさせてもらうだけで十分なんだ。わたしには財産など、門前仲町の家くらいしかない。あれはそのうちおまえと忠之《ただゆき》さんのものになる。静子さんはそんなもの目あてで、わたしとつきあってくれているわけではない」

雄介の顔に初めて見る表情が浮かんだ。それは悔しさと怒りと寂しさが溶けあった不思議な色をした感情である。

「いっしょに暮らしていた相手をなくして、ひとりで年をとっていくのは、つらいことなんだぞ。育児で毎日いそがしい園美にはわからないかもしれないが、朝起きて天気の話もできないのは、砂漠のなかで暮らすようなものだ」

雄介はとなりの静子を見た。

「でも、今はいっしょに年を重ねてくれる人がいる。それだけで人生っていうのは、ずっと明るくなるんだ」

静子は自分でも気づかないうちに涙ぐんでいた。雄介はうなずいていった。

「おかあさん子だった園美が、なかなか受けいれられないのはよくわかる。理解できなくてもいいから、理解してみようとしてくれないか。おまえにとって忠之さんやその子が大切なように、今のわたしには静子さんが大切だ。だからといって、おかあさんのことを忘れたわけじゃない」

園美が声をあげて泣きだした。泣きたいのは自分だったが、静子は足を崩さずに姿勢をただしたまま我慢した。悲しみに耐える力だけは、この七年間で身についている。

母親が泣いているのに気づいたようだ。園美に抱かれた赤ん坊が火がついたように泣きだした。タオルで涙をふきながら、園美がいう。

「もうミルクの時間。ちょっと用意をするから、おとうさん、この子をお願い」

雄介は赤ん坊を受けとると、すこしあやしてからいった。

「静子さん、お願いします」

哺乳ビンをバッグからとりだしていた園美が悲鳴のような声をあげる。

「ちょっと待ってよ、おとうさん」

静子がためらっていると雄介がいった。

「いいんだ、この子にも女の人のほうがいい。千佳《ちか》はうちのおばあちゃんに抱かれたことがないから、代わりに静子さんが抱いてやってください」

赤ん坊の熱い身体を受けとった。静子はしっかりとちいさな女の子を支えてやった。

雄介はつぶやくように漏らした。

「ほんとうなら、うちのかあさんとこうなるはずだった。それは静子さんのほうも同じだ。誰が悪いわけじゃない。病気になるのも、ひとりになるのも運命だ。死んだかあさんも、きっとわかってくれるはずだ」

園美は保温ケースにはいった哺乳ビンに粉ミルクを落としている。ゆっくりと溶けていくミルクを必死に見つめているようだった。わが子を抱いた静子を見たくないのだろう。静子も雪のようにガラスビンのなかを落ちていく粉ミルクに目をやった。園美が吸い口を唇にあてて、ミルクの温度を確かめ硬い声でいった。

「ありがとうございます」

静子は中腰でソファに寄った。やわらかな身体をさしだす。

「おかあさん似だから、きっと千佳ちゃんはきれいな子になるわ」

園美は乱暴なほどの勢いで赤ん坊を受けとった。泣き疲れたちいさな口にゴムの吸い口を押しこむ。赤ん坊は飢えた獣のようにミルクを吸った。園美は泣きながら、ミルクをやっている。

「わたしにはわからないし、認めたくない。静子さんは悪い人じゃないみたいだけど、おとうさんとつきあうのは、絶対に反対する。これはわたしだけじゃなくて、親戚みんなの意見だから。この子にミルクをあげたら帰ります。でも、また話をしにきますから」

テーブルの陰で雄介が手を伸ばしてきた。静子の指先をつかむ。どちらもしわのよった肌だった。静子はアルミサッシに四角く切りとられた空を見た。東京のはっきりとしない淡い青空だ。もうすぐ秋になるだろう。まだ雄介とつきあってから一年とたっていないのだ。

赤ん坊がミルクを吸う濡れた音だけが響く十九階のリビングで、静子は自分が幸せなのかどうか、急にわからなくなった。確かなのは雄介の指先だけで、この高さから落ちるのが恐ろしくて必死に男の手をにぎり締めた。

本のある部屋

「今夜は七時半に会議が終わる。八時すぎには部屋にいけるから」

長沼洋介《ながぬまようすけ》の声は疲れているようだった。そういえば、この二週間ほどほとんど連絡もない。きっと仕事がいそがしいのだ。堺尚美《さかいなおみ》はがらんと空虚なリビングルームを見わたした。

「わかりました」

「いつものように用意しておいてくれ」

「はい……あの」

仕事を抜けだして、あわてて携帯電話をつかったのだろう。洋介からの電話は急に切れてしまった。この部屋での暮らしも、もう半年をすぎた。尚美は洋介と不思議な愛人関係を結んでいた。

八時すぎといえば、あと一時間ほどしかない。尚美はシャワーを浴びるために、樫《かし》のダイニングテーブルを離れた。椅子も同じ硬い樫材で、二脚しかおいていない。この部屋には洋介と尚美以外の人間がはいることはないのだ。

十四畳ほどある部屋に、家具はダイニングセットと本棚しかなかった。壁の一面を埋める造りつけの本棚は、家具と同じ濃い茶色の樫である。尚美はこれから一時間後に、この部屋のなかでおこなわれることを想像して、どこか居心地の悪い気分になった。ああした形の行為を、愛情と呼べるのだろうか。自分は果たして、ほんとうに洋介の愛人なのか。宙ぶらりんな気もちのまま、バスルームにむかう。本来なら、シャワーだって浴びる必要はないのかもしれない。

尚美は自分のなかのけじめとして、洋介がくるまえに身体を清めておくだけなのだ。

髪は洗わなかった。指定の白いシャツに紺のスカートを身につける。洋介は紺ならパンツでもいいといったが、尚美は形の違うセミロングのスカートを数枚用意していた。どこにもセクシーさのない時間なのだ、すこしくらいは華を添えたほうがいいのかもしれない。尚美は尚美で、一時期悩んだこともあったのである。こんな中途半端な形でなく、いっそのことベッドをともにしていれば、どんなに落ち着けるかわからない。

寝室の化粧台で髪を直した。洋介はどちらかといえば引っつめの黒髪を好んだ。尚美は手早くゴムで髪をまとめ、薄化粧を施した。ベッドはなんの飾り気もないシングルである。洋介がこの部屋で眠ることはなかった。女性らしさを感じさせるのは化粧台くらいで、あとは予備校生の寝室といわれてもわからないだろう。

衣服はクローゼットのなかに少々。ベッドサイドのテーブルには読みさしの本がおいてあるが、テレビはない。この神楽坂のマンションには、どこにもテレビはないのだ。その代わり洋介が選んだ本がリビングの本棚いっぱいにおいてある。その本もむやみにあふれることはなかった。洋介は新しい本をいれると、本棚から同じ数だけ抜いていくのである。新しいものほど、いれ替わりが激しかった。本は好きだが、振りまわされるほど大量にはいらない。それが洋介のモットーなのだ。

電子のチャイムが二回鳴った。胸の奥が痛むような音である。尚美はスリッパをすべらせ、玄関にむかう。

「疲れた」

金属製の戸口のむこうで、男はそういった。玄関にはいり、黒い書類カバンをおいて、スプリングコートを脱ぐ。洋介は四十七歳になったばかりだ。尚美のほぼ倍の年齢である。それにしては白髪が多く、こめかみはほとんど白くなっていた。

「お疲れさま」

カバンを手にしようとすると、洋介はいった。

「いや、いいんだ。自分のことは自分でする」

久しぶりに疲れてやってきても、洋介に崩れたところはなかった。カバンと折りたたんだコートをさげて、廊下を奥にむかう。この人は奥さんの待つ家に帰っても、きっとこの調子なのだ。女の人といっしょにいてくつろいだことはないのかもしれない。

スーツの背中を見ながら、尚美はいった。

「今夜はなんにしますか」

洋介は本棚のまえに立った。中腰になって、すべて頭のなかにはいっているはずの背表紙を、あらためていく。指先は尚美がどきりとするほどきれいだ。肉体労働などしたことのないやせた長身男性の指だった。

中堅の精密機器メーカーの創業者の孫に生まれて、この年で筆頭専務である。次期社長は間違いない。毛なみも家柄も申し分ないのに、いつも孤独な空気を感じさせる男だった。なめらかに磨かれた爪の人さし指がとまったのは、ソフトカバーの単行本である。ワインのラベルでも確かめるように本をかかげて、洋介は背を読んだ。

「『モンテーニュ随想録』第二巻、関根秀雄訳、白水社、一九六〇年十月二十日刊。ぼくが二歳のときにでた本だ」

それからぱらぱらとページをめくった。三分の一ほどで、黄ばんだページがとまる。開いたままの本を尚美にわたした。青白い顔がこのマンションについて、初めて笑った。尚美は本を受けとり、さっと視線を走らせた。「第十二章　レーモン・スボン弁護」。法律関係の文章だろうか。

「わかりました」

しおりをはさんで、テーブルの中央におく。尚美はキッチンにいき、日本茶をいれた。洋介は胃が弱く、一日に二杯以上のコーヒーはのめない。お盆をもって部屋にもどると、男は上着を脱いで椅子の背にかけていた。

部屋のなかは間接照明で薄暗かった。尚美はお茶をだすと、卓上のスタンドをつけた。白熱灯は尚美の手元だけ明るく照らすようにセットされている。洋介はテーブルに両ひじをつき、指先でちいさな円を描くようにこめかみをマッサージしている。

尚美は開いたページの傍線がはいった部分を読み始めた。自分の声に意識が集中してしまう。赤坂のクラブでホステスとして働いていたとき、最初に洋介がほめてくれたのは、この声だった。すこし沈んで、くぐもっていて、角のないやわらかな声だと男はいった。そういう男の声も、黒いビロードのように滑らかだった。

不必要に声を張らずに、抑揚をおさえて尚美は読みあげた。洋介が教えてくれたとおりの朗読法である。

「燕は春がかえって来ると我々の家のすみずみをさぐるが、たくさんの場所の中から彼らが住むのに最も工合のいい場所を、果して判断なしに探すのであろうか。識別なしに選ぶのであろうか」

洋介は目を閉じたままきいている。その顔に初めてリラックスした表情が浮かんでくる。

「いいね、尚美の声は。その文章もなんだか、落ち着くよ。続けてくれ」

尚美は声をほめられると、今でもうれしかった。声がうわずらないように、静かに切りだす。

「また鳥の巣のあの立派なすばらしい構造を見たまえ。彼らは円い形より四角い形を・直角よりも鈍角を・用いるが、果してそれらの性質と効果とを知らずにするのであろうか」

目のまえにある文章を読んでいると、地上十二階にあるマンションの一室がどんどん縮んでいくようだった。尚美は子どものころの遊びを思いだす。ピアノや机のしたにはいってひざを抱え、誰かが探しにきてくれるのをひたすら待つのである。ひとりっ子だったので、尚美を見つけてくれる人間は誰もいなかったが、それでも飽きずにひとりきりの隠れんぼを続けた。今はそれを洋介とふたりでしている気がする。

リビングルームは卓上スタンドの明かりが届く範囲にまで居心地よく狭まっていた。ちいさな白熱灯の光でつくられたあたたかな空間のなかに、男といっしょにいる。その部屋のインテリアは、自分の声と書物に書かれた文章だけだった。

「彼らはその御殿を苔や羽毛で敷きつめるが、そうしておけば雛のやわらかい手足もずっと楽で痛くないであろうと考えないでしているのであろうか。彼らは雨もよいの風が吹けば身をひそめ、東にむけてその住いをつくるが、それらの風のさまざまな性質を知らないでしているのであろうか。ある風が他の風より体によいということを考えずにしているのであろうか」

尚美はモンテーニュを読んだことはなかった。だが、文章は穏やかに心のなかにしみてくる。目で追うよりも、声にだして読む速度のほうが、ずっと実際に文章が書かれる速度に近いのではないかと思った。洋介はお茶をすると、目を光らせていった。

「その本を最初に読んだのは、大学二年のときだ。すごいものだと思ったよ。どこまでも遠くまでいく文章は、速くも鋭くもなくていい。普通のなんでもないもので十分なんだ」

尚美はうっとりと洋介の声をきいていた。本と言葉しかない暗い部屋では、聴覚が一番敏感なセンサーになるのだった。普通の話し声が耳元で囁かれたように感じられる。洋介は目を閉じて待っている。髪に白いものが交じる中年の男性を、尚美はかわいいと思った。それでも額にも髪にも、手をふれることさえできなかった。それは洋介の望みではないのだ。手を伸ばすかわりに、尚美は読みあげる。

「まったく世間の人はこう言って嘆く。……『我々こそ、しばりくくられて、その身を掩《おお》うのにほかの者の皮よりほかに何物もなく、裸の大地の上に丸裸で、投げ出されている唯一つの動物である。ところが他の被造物にいたっては、自然はそれらに、殻や莢《さや》や皮や毛や細毛や棘《とげ》や革や羽毛や翼や鱗《うろこ》や毛皮や糸やを、それぞれの必要に応じて着せている。……また彼らに適する技能を、つまり泳いだり走ったり飛んだり歌ったりすることまでも、教えている。しかるに人間は、学ばなければ歩くことも話すことも食べることもできない。ただ泣くことよりほかにはなんにもできない。』と」

その夜、尚美はモンテーニュの朗読を続けた。大学生だった洋介が赤線を引いた部分だけを拾い読みしても、その章を読み切ることはできなかった。「レーモン・スボン弁護」は一章で二百五十ページ近くあったのである。

洋介はマンションについてから三時間後、ネクタイをゆるめることもなく、部屋をでていった。ありがとうといってくれたのが、尚美にはただひとつのなぐさめである。樫のテーブルのむこうで耳を澄ませている男は、指先さえ尚美にはふれなかった。

洋介が訪れた夜はいつもなかなか寝つくことができなかった。ふたりでひとつの本を読む時間は、尚美の身体の奥にちいさな火をつけるのだ。目覚めたままむかえた明けがた、寝返りを打つことに疲れて、ようやく尚美は眠りに落ちた。

昼間の神楽坂は、ぼんやりと気の抜けた街である。尚美は千駄ヶ谷にある美容師の専門学校にいっているが、ほとんど外を歩くことはなかった。あの高層マンションの一室は洋介のもちもので、部屋代の心配はいらない。洋介は月々こづかいをくれるし、親からの仕送りもわずかだがあった。贅沢を望まなければ、すこしずつでも貯金のできる生活だったのである。

尚美の年齢なら、ほかの若い男に心が動くのは当然だと、洋介はいっていた。自分がほしいのは、その声と静かに本の朗読をきくことのできる空間だけだ。尚美はボーイフレンドをつくっても、部屋に男を呼んでもかまわない。ただ、望んだときには、ぼくのために本を読んでくれ。

不思議なもので、男からそういわれると、別の男性を探すのはかえってむずかしいのだった。尚美はこの半年ほどのあいだに、すこしいいなと思う若い男と二度つきあったことがある。どちらも長くは続かなかった。確かに抱きあっている最中は、それなりにたのしいし夢中にもなる。だが、終わったあとのベッドで尚美が考えるのは、となりで荒い息を吐く若い男ではなく、テーブルのむかいで目を輝かせ自分の声をきいてくれるくたびれた中年男なのだ。

いつかはこんな不自然な関係も終わるのだろう。もしかしたら、洋介が自分に手をだして、平凡な愛人になる日がくるかもしれない。

尚美はちいさな辞書をもって歩く習慣が身についてしまった。電車の広告や街角で読めない漢字があると、その場で調べるためである。

ヘアカットの実習クラスが終わると、遊びにでかける級友の誘いを断ってひとりで部屋にもどるのだった。あの本棚のまえにいき、洋介のように本を選び、赤線を引いた部分を予習するのだ。どんなにむずかしい言葉や、リズムの悪い文章でも、きれいに読み抜けられるように繰り返し練習する。

すべては洋介に、その声がいいとほめられるためだった。

よく晴れた冬の終わりの午後だった。凍りそうに冴えた空のなかほどに、氷を削ってつくった淡い月が浮かんでいる。尚美はスーパーのポリ袋をさげて、マンションのエントランスを抜けた。二十四時間、人のいるホテルのようなフロントである。

オートロックの鍵をつかったとき、尚美は背中に視線を感じた。振りむくと、三十歳くらいの女と目があった。自分も赤坂のクラブにいたからわかる。出勤まえのジーンズと革のブルゾン姿でも、彼女はきっとホステスだ。吹き抜けになったロビーにあるオープンカフェに座って、背筋を伸ばしきつい視線をこちらに送ってくる。

まったく心あたりのない女だった。そのままオートロックの扉を抜けて、部屋にあがった。十二階というのは、超高層のマンションでもちょうどいいくらいの高さだと尚美は思う。エレベーターでのぼるたびに耳に違和感を感じることもないし、地上を見ても足がすくむほどの高さではない。光の井戸になった吹き抜けをめぐる内廊下を歩いて、部屋にむかった。どこかの階で子どもが泣いているようだ。吹き抜けに反響した泣き声はやわらかだ。部屋にもどったとたんに、呼びだしのチャイムが一回だけ鳴った。

来客だろうか。ポリ袋をテーブルにおいて、インターホンにでる。色味の濃すぎる液晶画面に、先ほどの女の顔がおお映しになっていた。広角レンズのせいか、顔の中央部がゆがんで盛りあがった厳しい表情である。

「やっぱり、あなただったんだ」

女はじっとレンズをにらんで、そういった。むこうからは見えないはずだが、誰なのだろうか。最初に浮かんだのは、「あの人の奥さん」という言葉だった。だが、ホステスの印象を思いだし、すぐに尚美は考えを変えた。

「あの、どなたでしょうか」

女は厳しい顔をまったく崩さずにいった。

「洋介さんのことで話があるの。部屋にいれてくれない」

尚美はさっと部屋のなかを見わたした。テーブルと椅子、それに本棚があるだけの淋しいリビングである。この部屋にはまだ尚美と洋介のふたりしかはいったことはない。

「それはできません」

「じゃあ、どうするの。わたしはあなたに話がある」

尚美のほうは話などなかった。だが、逃げるのも嫌である。それに謎の多い洋介についてすこしでも情報が得られるかもしれない。

「わかりました。すぐにしたにおります。一階のカフェでお待ちください」

尚美は脱いだばかりのコートに袖をとおし、玄関わきの鏡で化粧を確認した。いいだろう。まだ、それほど崩れてはいない。尚美は闘いの気分で、エレベーターにむかった。

女はオートロックの扉のむこうで待っていた。尚美は不思議だった。ひとりの男をあいだにはさむと、とたんに女同士は同じ極の磁石が反発するように、おたがいを撥《は》ねつけあう。

女の視線は厳しかった。背はむこうのほうが高い。かなりの美人だ。残念だが、身体の凹凸でも年うえの相手のほうが、はっきりしているようだった。尚美が勝っているのは、年の若さと声だけのようだった。女の声はインターホンをとおしてさえ、ざらざらと紙やすりのように荒かった。

ふたりは厚いガラスの扉をはさんでむかいあった。目をそらさずに会釈する。ドアが開いて最初に口を切ったのは、相手の女だった。

「あなたが愛人二号ってわけね。いきましょう」

尚美のほうには目もくれずに、ロビーのカフェにむかう。尚美はすこし距離をおいてついていった。身体にぴたりとあった革の背中にいう。

「なんのお話なんですか」

女は振りむいて、ちらりと笑った。

「もう半分終わった。あなたの顔が見られたから」

意味はわからないが、なぜか腹が立った。ロビーにおかれたテーブルに席をとった。室内なのだが帆布のビーチパラソルが頭上をおおっている。注文を受けたウエイトレスがいってしまうと、女が細い葉巻に火をつけた。甘い煙が不愉快だった。尚美の上半身を探るように見て、女はいう。

「洋介が、あなたみたいな若い子が好きだとは思わなかった。いつもいっていたもの」

中途半端なところで言葉を切って、葉巻をゆっくりと吸う。焦って先になにかをいったら負けだと思い、尚美は必死に我慢した。意思表示は手で煙を払うだけだ。

「ぼくは若い子の身体にはあまり興味はない。この年になると、ベッドで誰かにレッスンをつけるのは、もうたくさんだって。でも、あなたと洋介は愛人関係なんでしょう」

尚美には彼女のいう愛人の意味がわからなかった。素直にいう。

「あなたが、どういう意味で愛人といっているのか、わかりません。わたしは洋介さんとはなんの関係もないんです。あの、身体のっていうことですけど」

「なに、それ」

女は灰皿で細い葉巻の先をねじ切るように消した。強い目で尚美をにらむ。

「なにもしていない相手のマンションに住まわせてもらって、月々のお金ももらってるの。じらして金を巻きあげてるんだ。若いのに汚い方法、知ってるね」

目のまえが暗くなるような台詞《せりふ》だった。こんな汚い声で、こんなに汚いことはいわれたくない。尚美は静かに怒った。だが、底の浅い女に逆上してもしかたない。洋介が好きだといったやわらかな声で返す。

「わたしは別に洋介さんとそういう関係になってもいいですけど、それは彼が望むことではないんです」

女はテーブルにひじをついて、身体をのりだしてきた。くすぶっていた灰皿の葉巻が最後の煙をあげる。

「それが知りたかったの。彼はあまり欲望の強い人ではなかった。それは十年もつきあってるわたしにはよくわかっている。でも、あなたのような若い子をわたしに隠れて愛人にしてる。わたしは彼の携帯や秘密の通帳だって見てるの。この半年くらい、彼の行動がおかしかった。いっしょにいても妙にそわそわするし、わたしのところにくる回数も減っている」

尚美は目のまえの女を見つめた。この女が彼の十年来の愛人なのだ。それも自分とは違って、男としての欲望の濃度さえ知っているんだ。それなのに、なぜ自分などに嫉妬するのだろう。

「あなたも愛人なんですよね。奥さんにしかられるならわかるけど、なぜわたしにあなたが文句をいうんですか」

女は余裕の笑いを見せた。

「あなたはまだ子どもだからわからないの。奥さんはしかたないけれど、もうひとり別な相手をつくられるのが、女としては一番くやしいものよ。そのままの生活をしていれば、すぐにわかるようになる。男って移り気だから。愛人なんて、奥さんのように保証されたポジションではないしね」

尚美は女の目尻と首筋に刻まれたしわを見た。なぜかはわからない。だが、夜の仕事をする女性たちは、なぜか年をとるのが早いのだった。

「不安なんですか」

女は再び葉巻に火をつけた。

「不安といえば、不安ね。でも、それよりも知りたい気もちのほうが強い。あなたは洋介とどういう関係なの。身体のほうはつながっていないって、ほんとうのことなの。そっちのほうが信じられないよ。あなたも彼も、子どもじゃないんだから」

尚美は自分の部屋を思った。本と、それを朗読するためだけの部屋。わたしが本を読み、彼がきく。それだけの関係だといったら、この女はどう思うのだろうか。素直に話してしまえばいいのだろうが、急に尚美はほんとうのことを知らせるのが嫌になった。

「肉体関係がないのは、ほんとうです。でも、その代わりになにをしているかは、わたしの口からはいえません。ききたいのなら、洋介さんに直接きいてみてください。彼がいわないのなら、わたしは口が裂けてもいいません」

尚美は誰かが怒り狂うところを初めて見た。女の目はななめに切れあがり、目の光が強くなる。葉巻をもつ指先が震えて、淡い紫の煙さえ空中で細かに揺れていた。

「冗談じゃない。あんたみたいな小娘に好きなことばかり、いわせておかないよ。いい、わたしと洋介は十年間のつきあいになる。あんたなんか、昨日今日の関係でしょう。身体の関係がないのは、あなたに魅力がないからじゃないの。なにもしないで金だけ引っ張るなんて、最低の女」

尚美はただじっと耐えていた。この場をどう収めればいいのかわからない。目のまえにいる女が恐ろしくもあった。嫉妬でおかしくなっているとはいえ、すくなくとも洋介のことを愛しているのは間違いないようだ。だが、自分はどうなのだろう。彼と本を読むひとときは、ほかに替えがたい時間だ。でも、ほんとうに彼を愛しているといえるのだろうか。

尚美は身体を守るものがほしかった。あたたかな高層マンションのロビーで、見知らぬ女の口から吐きだされる腐ったにおいのする悪意から、自分を守る力が必要だった。そのとき、あの文章が頭のなかを駆けめぐった。モンテーニュである。呪文のように心のなかで、朗読を始めた。

（……自然はそれらに、殻や莢や皮や毛や細毛や棘や革や羽毛や翼や鱗や毛皮や糸やを、それぞれの必要に応じて着せている。爪や歯や角のような攻めたり守ったりする道具まで与えている。また彼らに適する技能を、つまり泳いだり走ったり飛んだり歌ったりすることまでも、教えている……）

尚美の心の奥で、洋介の選んだ言葉が鳴っていた。目を赤くして、なにかを叫んでいる女が目のまえから遠ざかっていく。もうこの世界など、たくさんだった。

尚美は洋介の言葉のなかに溶けてしまいたかった。できるだけなめらかに、抑揚をつけずに声のない朗読を続けた。

（……しかるに人間は、学ばなければ歩くことも話すことも食べることもできない。ただ泣くことよりほかにはなんにもできない……）

いいや、できることがある。殻や皮や毛や棘や翼や鱗がなくても、こうして言葉で身を守ることができるのだ。尚美はゆったりと微笑んで、その場に座ったまま、テーブルのむかいの女から静かに離れていった。

「きいてるの、あなた」

女が鋭く叫んだ。

「ええ、きいています」

尚美は冷たい笑みを固定して、まっすぐに洋介の愛人を見つめた。心のなかでは、防御の呪文が渦巻いている。

（……言葉にいたっては、それが自然でないとすれば、必要不可欠なものではないことが確かである……）

尚美は不思議だった。洋介とはふたりきり、心をつなぐ橋になる言葉が、目のまえにいる女には高くて堅い壁になる。

（……まったく、我々は彼らがその声を用いて訴えたり・喜んだり・互に助けを呼び合ったり・愛に誘ったり・するのを見るが、この性能こそ言葉でなくて何であろうか……）

「馬鹿にするんじゃないわよ」

女は立ちあがりざま、ステンレスの灰皿をつかんだ。投げるのではなく、なかの灰を尚美に振りかける。尚美はかすかに目を細めただけで、平然と受けた。心のなかには洋介が選んだ文章が鳴っている。抑揚をおさえ、なめらかに、自然に。

女はそのまま挨拶をすることもなく、ハイヒールのかかとを鳴らしてマンションのロビーをでていった。尚美は目のまえのコーヒーが冷めて濁るまで、心のなかで朗読を続けた。

夢のなかの男

バルコニーにでると、春の風はやわらかだった。夕暮れのバラ色の雲が、幻のように都心のビル群のうえを流れている。空はまだ青さを残しているが、雲だけ赤く染まっている。二十七階から見おろすと、神楽坂はどこか外国のバザールのようだった。夜の食材を買いにでた主婦で混雑しているが、不思議と生活感はなかった。これくらいの高さになると、こまごまとうるさい細部は消えてしまうのだろう。

緒方純子《おがたじゅんこ》は屋外用の椅子に腰かけた。手にしていた携帯電話と灰皿代わりの空き缶をアルミニウムのテーブルにおく。夫の忠志《ただし》はノンスモーカーで、タバコのにおいが嫌いなのだ。純子が隠れてタバコを吸うのは、このバルコニーか外で男と会っているときかのどちらかだった。

バージニア・スリムを一本抜いて、深々と吸いこんだ。メンソールとニコチン。こんな見事な組みあわせを考えだしたのは、誰なのだろうか。このタバコには、インターネットの出会い系サイトなみに強烈な習慣性がある。そう思って、純子はにやりと笑った。携帯を開いて、指が覚えている相手を選んだ。

「はい……」

大学時代からの悪友、飯村麻由美《いいむらまゆみ》の声がする。

「わたし、純子」

「あら、またアリバイづくりに協力するの」

麻由美の背後にはオフィスのざわめきがきこえる。まだ仕事の途中なのだろう。

「そう。今夜、このまえ話した人と初めてのデートなんだ」

ふふふと麻由美がふくみ笑いをした。声を殺した返事が返ってくる。

「それで、またやっちゃうんだ」

純子は雲を見た。縁だけが血をなすったように赤く、中心部は淡く赤らんで内側から盛りあがっている。あまり経験のない大学生のペニスのようだ。

「わからないよ。相手がいい感じならそうなるし、慣れていない人なら、うまくいかないこともあるもん」

麻由美の声にはそそのかすような響きがある。

「でも、ちゃんと勝負下着はつけていくんでしょう」

「そりゃあ、まあ、人に会うときの礼儀だから」

一本の電波の両端で、ふたりは声をあわせて笑った。純子はいう。

「わたしは十一時まえには帰るから、もし彼から連絡があったら、麻由美といっしょっていっておく。なにもないと思うけど、なにかあったら、そのときはよろしくね」

「リッチな専業主婦で、男と遊び放題かあ。いいな、わたしも結婚しようかな」

麻由美の声には、真剣なあこがれがこもっているようだった。

「そうだよ。結婚しなよ。相手は適当でいいんだから。結婚しても女でい続けることはできるし、麻由美が結婚したら、わたしをアリバイにつかっていいから。来年三十歳でしょう」

「考えとく。でも、そこそこの相手でもあまりいなくてね。なんか、出会いがないんだよなあ。ちょっと遊ぶくらいの人なら、いくらでもいるんだけど」

また麻由美の恋愛相談になりそうだった。そろそろでかける準備をしなければならない。麻由美は昔から話が長いのだ。

「じゃあ、時間だから」

「ちぇっ、こっちは金曜日の夜も残業なのに、純子はデートか。男と会うまえに浴びるシャワーって、最高なんだよね。わたしの分もせいぜいがんばってきてね」

「了解。今度おごるから」

純子は通話を切った。空き缶のなかに吸いさしのタバコを落とす。バルコニーで背伸びをした。短いカットソーから形のいいへそがのぞく。さて、これからシャワーで全身を磨いて、しっかりとメイクをしよう。

初対面の男に会うための準備をする一時間。それは情事のあらゆるプロセスのなかで、一番たのしい一時間かもしれない。純子は革のサンダルを脱ぎ、流行の歌をハミングしながらバスルームにむかった。

夫の忠志が勤める外資系の証券会社は虎ノ門にある。純子はデートでは、青山・赤坂・六本木を避けることにしていた。いい店がたくさんあるのに残念だが、危険は排除しなければならない。それに忠志は新宿や渋谷のようなごみごみした街が嫌いだ。

純子は白いフィッシュネットのストッキングに白いエナメルのブーツで、スペイン坂の人波をのぼっていた。ノースリーブのミニのワンピースも白で、色をつかっているのは鮮やかなウルトラマリンのストールだけだった。

坂の途中を折れて、新しいレストランを見つけた。ガラスのドアを開けると地下に続くガラスの階段が広がった。水のなかにおりていく青い道のようだ。純子はちらりと腕時計を確認した。約束の七時を五分すぎている。ブーツのかかとを鳴らしながら、地下にくだっていく。白いシャツを着た店の人間にいった。

「高田さんのお名前で予約しているんですが」

若い男は感じのいい笑顔をつくる練習をしているようだった。さっと営業スマイルになって、道を示すように右手をだす。

「お連れさまは先にいらしています。こちらへ、どうぞ」

初めての店だった。広いフロアは曇りガラスのパーティションで細かに仕切られている。ウエイターの案内がなければ迷ってしまいそうだ。最初のデートから個室レストランを指定してくるなんて、遊び慣れた男の予感がする。それならこちらも手加減することはないだろう。純子は胸をそらして、ちいさな尻をした若い男のあとに続いた。

ガラスの扉が開くと、個室のなかは意外と狭かった。三畳ほどあるだろうか。中央には壁と同じ素材のガラステーブルがおかれて、そのむこうに男が片ひじをついて座っていた。男のまえには真っ赤なカクテルグラスがある。

「あっ、どうも」

男と純子は同じ軽い挨拶の言葉をかわした。ウエイターにいう。

「わたしもカンパリソーダをひとつ」

「かしこまりました。お料理のほうのご注文が決まりましたら、テーブルのボタンを押して、お呼びください」

軽く会釈をして、ウエイターがでていく。ガラスの扉が閉まって、純子はしっかりと男を値踏みした。銀糸のような細いフレームのメガネは、純子の好みのどまんなかだった。純子はメガネをかけた男が好きなのだ。ジャケットは品のいいベージュのコーデュロイ、シャツは紺のボタンダウンである。惜しいのはネクタイをしていないことだった。純子はメガネとネクタイの男に弱かった。

「初めまして、ヨシヒロです」

軽く上気した顔で、男はハンドルネームを告げた。自分をまえにして、ひとりの男性が緊張したり、赤くなったり、ひそかに欲望を抱いてくれる。いくつになっても、たとえ夫ができても、その瞬間の心地よさに変わりはなかった。純子はヨシヒロの視線を意識しながら、ゆっくりとストールを肩から落とした。

「スミカさんみたいな人と会えるなんて、ネットもバカにならないな」

ヨシヒロはじっと純子の腕のつけねを見ながらいう。純子はちいさなころから、子のつく自分の名前が嫌いだった。出会い系でのハンドルネームは、純香と書いてスミカと読ませている。ヨシヒロは確かテレビだかラジオだかの制作プロダクションに勤めているといっていた。普段はラフな格好をしているのだろう。

「今度会うときは、スーツにネクタイできてほしいな。わたし、メガネをしてスーツを着た男の人って、二倍よく見えちゃうんだ」

すこし甘えた声でそういって、純子は思った。ほんとうに今度があればね。つぎのデートがあるかないかは、これから身体の相性を確かめなければわからなかった。ヨシヒロは三十代なかばだろうか。メガネを直してから、メニューをさしだした。受けとろうとした純子の手をにぎる。料理を決めていくあいだ、男は純子の手をにぎったまま離さなかった。しかも、その力は決して強くはないのだ。離そうと思えばいつでも振り切れるくらいの軽いにぎりかただった。

（この人はけっこうセンスがいいかもしれない。何番目の男になるのかな）

純子には同時進行でつきあっている男が四人いる。ランキングは月ごとにめまぐるしく変わっていた。男の指の乾いた硬さを手の甲に感じながら、純子はその夜のメインディッシュを選んだ。

神楽坂の高層マンションにもどったのは、夜十一時わずかまえだった。身体の芯には心地よい疲労と快楽が残っている。フロントに座るガードマンに会釈した。受付係は昼は女性だが、夕方から朝まで制服を着た男性に代わるのだ。

エレベーターのなかでヨシヒロのことを思いだし、純子はちいさく笑った。あの個室レストランは素晴らしかった。さんざん遊んだオーナーがつくらせたに違いない。ブザーを鳴らすまでは、店の人間は決して部屋に顔をださなかった。曇りガラスのパーティションはむこう側に人がいる気配は感じさせたが、その人間がなにをしているか見せることはなかった。

ヨシヒロと純子は薄青いガラスでできた小部屋で、出会ってから一時間後にはペッティングをしていた。男はブラジャーのすきまから手をいれて、乳首に指先を伸ばした。純子も胸を張って、男の努力にこたえてやる。ていねいにマニキュアを塗った指先は、チノパンのまえ立てに張りついている。厚手のコットンが熱をもって蒸れているのがわかった。すこし強めににぎりしめてやると、男はメガネをした顔でにっとうれしそうに笑った。硬直したペニスよりも、純子にとってはずっとうれしいメガネの笑顔である。純子もうわ目づかいで笑い、きゅうくつそうなファスナーをおろしてやった。

エレベーターの数字は、急速におおきくなっていく。ひと桁台は目にもとまらぬ速さだった。

純子が熱心に口をつかうと、男はしばらくしていったのだ。

「ちょっとこのソファで四つんばいになってくれないか」

やっぱりセンスがいいかもしれない。純子は狭いラブソファのうえで、ヨシヒロに尻をむけて両手をついた。いきなりワンピースの裾をまくりあげられる。ストッキングもひざまでおろされてしまった。純子はちいさな声で叫んだ。

「ちょっと、なにをするの」

男は細いクロッチを裏返すようにわきに寄せて、純子の性器を外気にさらした。あてがった指の全長をつかってなぞる。そのときウエイターが食器の音を立てて、すぐまえの廊下を歩いていった。声を殺しても、自分のものとは思えないおかしな息が漏れてしまった。

エレベーターは二十七階に到着した。夜の内廊下には誰もいない。住民が生活している気配がないのだ。今考えると、あの個室のソファが今夜のハイライトだった。店をでたあとで、ふたりは道玄坂に移動してホテルにはいったが、セックス自体はごく普通のものだった。最後までは不可能な場所でぎりぎりまでいくのと、安全な場所で最後までいくのでは、スリルの熱量が違うのだろう。これからあの男とつきあうのなら、どんなパターンにするべきか考えなければならない。

「ただいま」

純子は鍵を開けて、玄関にはいった。ダウンライトが自動的に点灯する。廊下の暗さと空気の冷たさで、夫がまだ帰っていないのがわかった。寂しさと安堵の両方を感じた。ひとりきりは寂しい、だが別な男と会ったあとで最初に忠志と顔をあわせるのは、やはり緊張する。純子はまっすぐにバスルームにむかい、バスタブに湯を張るため、ちいさなプラスチックのボタンを押した。

金曜日の夜、夫が帰ってきたのは深夜一時すぎだった。ころころと代わる外国人の上司の送別会があったのだという。忠志は紺のスーツにブルーのシャツ、紺と白のレジメンタルタイを締めていた。のんだ帰りでも、結び目にゆるみはなかった。メガネはスーツにあわせた紺のアクリルフレームだが、こちらもレンズを磨いたばかりに見える。純子はパジャマ姿で、八歳うえの夫を出迎えた。スーツとメガネの組みあわせは、見慣れた夫でさえ魅力的に見せるのだった。そういえば最初のデートのとき、忠志のスーツ姿にほれこんで純子は自分から熱心にアピールしたのである。

「お帰り」

茶色い編み革のアタッシェを投げだして、忠志はソファに倒れるように横になった。夫の会社では、靴とカバンにはみなうるさいのだという。このケースはボッテガ・ヴェネタで、五十万ほどしたはずだ。

「疲れるな、アメリカ人と英語で話すのって」

ネクタイをはずしながら忠志がこぼした。帰国子女なので言葉に不自由はないはずだ。

「どうしたの」

「疲れるのは、アングロ＝サクソンの果てしない欲望につきあわなくちゃいけないことだ。自分は今度あれがほしい、こんな仕事をしたい、自分ならこういう業績をあげてみせる。それも具体的な数字をだしてね。送別会の席でも、ずっと自分がなにを求めているか、延々とアナウンスしなきゃならないんだ。あいつら満足するってことを知らないからな、ほんとに疲れるよ」

純子はかすかに赤くなった忠志の顔を見た。無防備で、疲労した顔。だが、その顔はヨシヒロのように自分を求めてぎらつくことはない。夫はまだ純子には関心のないことを話していた。

「自分の誕生年のワインを何十万ドルもだして集めるなんて、ばからしくないか。年に数日しかいかないミシガン湖の別荘とか、そこにいくためのちいさな水上飛行機とか。あいつら何十年も飽きずに、ずっとなにかをほしがり続けるんだ。それもさ、手が届くところからすこしうえのプライスタグがついたものばかりほしがるんだよ。なんて、下品な人間だろうって思う」

純子はソファのうえでひざを抱えた。忠志のいうことにも、矛盾を感じる。このポルトローナ・フラウの白いソファセットは三百万円もしたのだ。

「あなたにはほしいものってないの」

忠志は顔をあげて、鋭い目で純子を見つめた。

「あるよ。でも、それは店で売っているものばかりじゃないし、いつだってほしがるなんてこともない」

純子は胸が切なくなった。誰かに抱かれてきた夜は、また別なセックスがほしくなることがある。結婚してから、何度かそんなことがあった。昼はどこかで別な男と、夜はわが家のベッドで夫と。身体はくたくたになるけれど、そんな夜は深い満足とともに眠りにつけるのだ。

「ねえ、今夜、しようか」

つきあい始めたころ、かわいいといわれたうわ目づかいで純子はいった。忠志は余裕の笑いでこたえる。

「また今度ね。疲れてるし、酔っ払った」

つい三時間まえまで、ほかの誰かに抱かれていたのに、そんなことで傷つくなんてフェアじゃない。頭ではそうわかっていたが、純子はひどくがっかりした。


寝室はツインのベッドだった。マットレスがいいとすすめられて購入したドイツ製である。忠志は低くいびきをかいていた。いつもはそんなことはないのだが、酔った晩にはたまにそうなる。

純子は目が冴えて眠れなかった。結婚とはなんだろうか。恋愛からときめきとスリルとセックスをしぼりとる。残ったぱさぱさのしぼりかすが結婚ではないのか。今日のヨシヒロで純子の浮気相手は九人目だった。

純子は自分でも性欲が強いほうではないかと思う。だが、その欲望も結婚してからの三年間は、なんとか夫の忠志だけにむけていたのだ。忠志の仕事は定年まで続けられるような仕事ではないという。高給だが、拘束時間もストレスもたいへんなものだ。失敗は一回なら許されるが、二度目には荷物をまとめて、オフィスからでなければならない。

結婚してから純子とのセックスは劇的に減少している。

四年目に男性のメール友達ができて、ほんの遊び心でデートをした。身体の関係になるつもりはなかった。けれど、最初のデートで強引にホテルに誘われて、味をしめてしまった。初めての浮気からたがはずれて、この二年で九人の男と関係をもった。なぜか自分でもわからなかったが、三人目ごとに純子は反省するのだった。夫を裏切り、こんな危険な遊びに狂っている。自分が浅ましく感じられて、ひどく落ちこむのだ。その夜もやはり同じだった。

自分自身を責めては、となりで寝ている忠志にすまないと思う。つぎの瞬間にはこれまでの不倫相手とのセックスをつぎつぎと思いだし、それに気づかない忠志の無神経さを呪う。混乱して沈みこんだまま、純子はなかなか寝つけなかった。

明けがたに夢を見た。

夢のなかで純子は明るい草原に立っている。東の空には夜明けの透明な青が広がっている。朝焼けのまえの一瞬のクリアガラスの空だ。白いフレアのワンピースが、草の葉といっしょに風に揺れている。男が夜明けの空を背景に立ち、こちらに振りむこうとしている。ミッドナイトブルーの仕立てのいいスーツに白いシャツ、ネクタイも無地のネイビーだ。男は純子に手を伸ばす。なぜだか、わからない。その手をとれば、自分は絶対に幸福になれると純子にはわかっている。だが、手を伸ばせば届く距離なのに、男の顔はよくわからなかった。朝日がのぼって、顔の細かな造作はハレーションを起こしたように白く飛んでしまっている。はっきりとわかるのは、メガネをかけていることだけだった。純子は夢のなかの男に必死で手を伸ばした。あの手をとれば、幸せになれる。もうすこしで指先がふれるというときに、純子は目を覚ました。

白いクロス張りの折りあげ天井が見えた。サッシの外、二十七階の空はまだ夜の色だった。純子は自分がなぜ泣いているのかわからなかった。夢のなかの男の手をにぎれなかったのが、ただただくやしかった。あの手をとることができたら、リアルな世界でもほんとうに幸せになれそうな気がしたのだ。それにしても、あれが自分の理想とする男性だったのだろうか。純子は何度も男の姿形を思いかえした。だが、背丈や格好は覚えているのに、いくら夢の記憶を探っても、男の顔はわからなかった。

翌週の金曜日は、午後早くから若い男とデートした。

相手は二十一歳の大学生なので、いくらでも時間の都合がつけられたのである。ケンシロウは自分の大学がある吉祥寺を指定してきた。春深い井の頭公園で手をつないでデートする。カップルでのると別れるという伝説のある池のボートにものった。遅めの昼食を公園のそばのイタリアンですませて、ふたりは吉祥寺駅と公園の途中にある古びたホテルにはいった。

相手は十歳近く年したなのだ。純子はほかの男のときとはまた別な方法を試してみたかった。シャワーをいっしょに浴びてから、狭いベッドルームにもどった。つないだ手を離して、ケンシロウの薄い背中を押す。

「ベッドに四つんばいになって」

先週、ヨシヒロにやられたことを大学生にやってみるのだ。

「頭をさげて。動いたら、お仕置きね」

純子は身体にタオルを巻いたまま、両手をついて尻をあげた大学生に近づいていった。淡く毛の生えた太ももの裏をなめあげていく。両足の裏側を広く濡らすと、青リンゴのように締まった尻に移った。腰骨の横から肛門にかけて、掃き掃除でもするように細かな刺激を集めてやる。ケンシロウの息は中心に近づくたびに荒くなった。最後はとがらせた舌の出番だ。唾液をたらした穴に舌を押しこもうとする。男が力をいれて閉ざすので、なかなか舌先は戸を開けられなかった。

「ねえ、深呼吸して、楽にして」

年うえの男にいわれた言葉を、そのまま大学生に投げてやる。ゆるんだ穴に舌がとおると左右に動かしてやった。右手を伸ばし、二十一歳のペニスの先を確かめる。女のように濡れていた。きゅうくつな姿勢だったが、なんとかさすってやる。イチ、ニー、サン。舌をつかいながら、純子は心のなかでゆっくりとかぞえた。右手のやさしい七往復目。ケンシロウは情けない声をあげて、シーツのうえに大量に射精した。液体の硬さを確かめるように、純子は手をにぎっては開いた。指先がゼリーのような塊をてのひらに伸ばす。これくらいの濃さなら、まだまだだいじょうぶだろう。

「つぎはわたしの番ね」

まだ荒い息をする大学生の横で、純子は足を開いた。思い切り足を開くのは、いつだってたのしい。自分をすべて投げだした気分になる。ここにあの夢のなかの男がいてくれたらいいのに。純子は手を伸ばしてケンシロウのメガネをはずし、淡く七色に光るヘッドボードのうえにおいてやった。

新宿駅の南口で待ちあわせをしたのは、夜の七時だった。髙島屋にむかうボードウォークにミントグリーンのスプリングコートを着た麻由美が立っている。純子に気づくと、麻由美は手を振った。

「なんだか、肌がつやつやしてるね」

純子はそういわれて、自分の頬をなでた。ホテルをでるとき化粧を直したのだが、確かにファンデーションののりがよかった気がする。麻由美と純子のあいだに秘密はない。数年まえ、麻由美が上司との不倫にはまってしまったときも、純子はただひとり味方でありつづけたのだ。

「そうかな。やっぱり若いエキスって、お肌にいいのかもしれない。じゃあ、今夜はほんもののアリバイつくりにいこうよ」

ふたりがむかったのは、南口に新しくできた創作和食の店だった。ビルの六階にあるのに、店内の足元にはちいさな水の流れが音を立てている凝った造りだった。個室ばやりなのだろうか、とおされたのは中腰でなければ動けない狭い箱のような部屋である。暗かったので気づかなかったが、よく見ると四方の壁には金箔が張られていた。

生ビールで乾杯して、純子はいった。

「いつもわたしのいけない遊びに協力してくれてありがとうね」

麻由美は笑って、身体をのりだした。

「それより、さっきの意味深な若いエキスって、なんの話」

「今日いただいてきた男の子、大学三年生の二十一歳なんだって」

「純子ばっかりずるいよー、今夜はあんたのおごりね」

「まかせといて」

純子はかすかにしびれる胸をたたいていった。

「どうしたの」

「その子がすごい胸フェチで、しつこくもまれて、なめられちゃった」

純子は舌をだして、笑ってみせた。この舌で大学生の尻を割ったことまでは、当然口にはしない。

「もうやってらんないよ。人が仕事してるあいだに、ずるい」

麻由美がジョッキを空けて、つぎの一杯を注文した。純子はアルコールには強くないので、ジョッキ半分のビールで気分よく酔ってしまう。まっ先に口にしたのは、大学生のボーイフレンドの話ではなく、あの夢のなかの男のことだった。夜明けの草原と紺のスーツ。手をとれば幸せになれるのに、なぜか手が届かないこと。目を覚ましたら、頬が冷たく濡れていたこと。うんうんとうなずいてきいていた麻由美は、純子の話が終わるといった。

「なんだか、その夢のなかの人って、忠志さんみたいじゃない」

純子は夫とあの男が似ているとは、考えたこともなかった。

「だって、背の高さとかスーツの感じとか、メガネかけてることとか。覚えてないかもしれないけど、学生のころの純子って、別にメガネ好きじゃなかったんだよ。忠志さんに会ってから、スーツメガネ男命になったんだもの」

まるで覚えていなかった。純子は不思議そうにいった。

「そうだったっけかなあ。でも、あの夢の人は彼には見えなかった。顔はわからないけど、ものすごくタイプだし、カッコよかったんだよね」

麻由美はじっと純子の目を見つめた。

「あのさ、わたしときどき思うんだけど、純子って、いつも忠志さんに似た人とばかり不倫してるよね」

「そうかな」

「うん。別にいいんだけど。スーツにメガネの組みあわせなんてまさにそうだし、細くてインテリっぽい人が好きでしょう」

酔っ払って純子はうなずいた。

「そういう知的な人がケダモノに変わる瞬間が最高」

「あのね、真剣な話なんだから、ちゃんときいておいたら。わたしにはいつも純子は忠志さんを探しているように見える。そうかといって、遊びをやめろなんていってるわけじゃないよ。ただ自分がほんとうはなにを探しているのか、純子はわかっていたほうがいいと思う」

それが真実なのかどうか、純子にはわからなかった。なにかとんでもない遠くから麻由美が言葉をかけてくるような気がするだけだ。その言葉はどこか心の深い場所にふれている気もするが、ただの気のせいのようにも思える。純子は深刻になるのが嫌で、携帯電話をとりだした。

「さあ、今夜はばっちりアリバイつくってもらうからね」

指が覚えている番号は、夫の忠志のものである。

「ウッドマン＆ヒル・セキュリティーズ……」

なめらかで冷たい言葉が返ってくる。

「あっ、わたし、ちょうど今、麻由美とのんでるんだ。今日早くあがれるなら、こっちに合流しない」

「間違えた、ごめん。会社でくれた携帯とは別なメーカーにしないといけないな。こっちはまだまだ終わりそうにない。麻由美ちゃんには謝っておいてくれ」

純子はがっかりしたが、麻由美に携帯をわたした。女友達の声は自然に高くなった。

「忠志さーん、久しぶり。毎週、純子を借りちゃってごめんなさい」

携帯の反対側に耳を押しつける。忠志の声ははっきりときこえた。

「こちらこそ、いつも純子のお守りをしてもらって感謝してる。今度三人でおいしいフレンチでもたべにいこう。ご馳走するよ。じゃあ」

麻由美があわてていった。

「純子にもう一度代わらなくていいの」

「もういいよ。仕事がいそがしいから」

通話はいきなり切れてしまう。純子は肩をすくめながら、携帯電話を受けとった。

「ねっ、忠志はいつもあんな感じだから。夜もね」

ショルダーバッグに携帯をしまおうとしたとき、メールの着信音が鳴った。フラップを開けて、受信ボックスを開いた。純子は華やかだが、どこか寂しい声をあげる。

「ねえねえ、見て。今月のランキング第一位からメールがきた。来週会おうだって」

純子は麻由美と大皿の料理を崩しながら、左手の親指でメールの返事をたたいた。いつものようにかわいい絵文字とひとつだけひどく生々しい言葉をつかう。

その夜、麻由美と純子はたくさんの料理をたべ、たくさんのジョッキを空けた。結婚や仕事や恋愛など、真剣な話もたくさんしたような気がする。それでも純子はなにを話したか帰り道にはすべて忘れてしまった。それはその日の午後、抱きあった大学生の記憶と同じだった。

十七カ月

十七カ月まえ、三橋真紀《みはしまき》のたったひとつの望みがかなった。

真紀は生まれてから、それほど激しくなにかを望んだことはなかった。そのためにあれほどの努力をしたこともなかった。それさえ手にはいれば、すべてがうまくいく。自分の生活に欠けるものはないと信じていたのである。

夫の誠二《せいじ》は大手家電メーカーのSEで、収入も仕事も安定していた。優しい気づかいができる人で、妙なところで男らしさにこだわるような幼いタイプではなかった。女性の話をきちんときくことのできる数すくない男性なのだ。真紀の翻訳の仕事も、薬品や精密機器といったお堅いマニュアルから、以前から願っていた児童書のほうへ軸足が動き始めていた。新しくつきあいのできた出版社や編集者とも、いい関係を築けそうだったのである。

誰からの援助を受けることもなく、夫婦だけの力で三十代のうちに新築マンションも購入できた。神楽坂に建つ大規模プロジェクトは、海にそびえる巨大な客船のようだ。周囲の中層ビルをタグボートのように従えて、歴史ある街に悠然と停泊している。三十階の東南角部屋は、倍率六倍の抽選を勝ち抜いて自分たちのものになった。あたりクジを引いたときは、誠二といっしょにモデルルームでハイタッチをして盛りあがったものだ。

住宅ローンはそれなりに重かった。けれど、おかげで真紀は自分だけの書斎を手にいれたのである。窓のむこうに都心の風景がまばゆく細密に広がる変形の七畳間。ばりばりと仕事をして、いつかベストセラーになる絵本を訳して、きっと十年以内に全額返済してみせる。それが入居したときのひそかな目標だった。

机のうえにおいた書棚には、専門分野の英語の辞書がならんでいた。化学、金属、鉱物、薬品。真紀の商売道具である。パソコンのモニタに開かれているのは、書きかけの原稿だった。あれほど満足していた窓のむこうには今、梅雨曇りの空が灰色のまだら模様に浮かんでいる。光のささない街も、空と同じ無彩色だった。十七カ月まえのあの日から、自分がずっとそうであるように。

そこで真紀は自己憐憫《れんびん》にストップをかけた。無駄なことを考えているひまがあるなら、一行でもこの金属加工機械のマニュアルを翻訳しておいたほうがいい。デッドラインは明日の朝一番なのだ。真紀は耳を澄ませた。三十階の空を吹く風の音しかきこえない。今がチャンスだ。画期的だという新しい数値制御の方法を、一から順に日本語に移していく。目的のはっきりした単純で明快な言葉は心地よかった。

感情や後悔のはいりこむすきは、マニュアルにはないのだ。

集中した時間は、飛びすぎる。

分厚い英文のマニュアルから顔をあげると、二時間がたっていた。充《みつる》がこれほどの時間泣かないのはめずらしいことだった。真紀は原稿を再保存して、机を離れた。足音をしのばせ、奥のリビングダイニングにむかう。サッシから外光の届きにくい手まえの壁際には、白木のベビーベッドがおいてあった。メープル材の床の色にあわせて購入した北欧からの輸入品である。

そっと柵のなかをのぞきこむ。来月には生後一年半になる男の子が、頬を赤くして眠っていた。タオル地のサックスブルーのロンパースは、友人から出産祝にもらったラルフ・ローレンである。同じ月齢の赤ん坊よりも、身体はふたまわりほど小柄だった。昼寝からはいつも一時間で目覚めるのだが、今日は眠りが深いらしい。

母親がきたのが、気配でわかるのだろうか。充はちいさなてのひらを、なにかをつかむように二、三度開いたり閉じたりした。つぎの瞬間「火がついたように」泣きだした。真紀はありきたりの表現が嫌いで、この比喩《ひゆ》は文章でつかったことはなかった。けれど実際に自分が子をもってからは考えが変わったのである。赤ん坊というものは、どんなに厄介なタイミングでも、勝手に火がついたように泣くものだ。十七カ月の男の子は、全身を縮めて泣いている。

「はいはい、ミツルくん。今ミルクの準備をするから、待っててね」

一歳になったころから断乳はしていた。離乳食もたべさせている。どちらも順調なのだが、充はこの五カ月、変わらずにミルクをほしがった。やはり予定よりも早くこの世界に生まれてしまったから、ミルクがいつまでも恋しいのかもしれない。

真紀はまだ熱の残ったアルミパンから哺乳ビンを引きあげた。粉ミルクの調整は、目をつぶってもできるが、そんなスキルは誰もほめてはくれなかった。母親ならあたりまえのことだといわれるだけだ。真紀は頰に哺乳ビンをあてた。ほんのりとあたたかい。ミルクの温度を確かめ、リビングにもどった。

赤ん坊を抱きあげて、ソファに座る。充はまだ昼寝から十分に開かない目で、音を立てて透明なシリコンの乳首に吸いついた。赤ん坊というのは、ちいさなケダモノである。凶暴な力で、命のもとをのみくだすのだ。充は哺乳ビンを一分足らずで空にすると、上手にゲップをした。昔はこれができなくて、噴水のようにベビーベッドにミルクを撒《ま》いたものだ。さて、ここからが問題である。真紀は数種類用意してある子ども用アニメのCDから、「魔法戦隊マジレンジャー」を選び、CDプレーヤーにセットした。

ミルクをのんで満ち足りた表情の赤ん坊を、そっとベビーベッドにおろす。機嫌のいいときなら、このままアニメのテーマ曲をききながら、ひとり遊びを始めてくれるのだ。

それなら、真紀は誠二が帰るまでもうひと仕事、翻訳を続けることができる。祈るような気もちで、充の顔を見つめた。半分目を閉じて、髪の薄い男の子はちいさな馬の編みぐるみに手を伸ばした。

（そのまま、もうすこしママに時間をちょうだい）

充は子馬を口元に運び、唇で毛糸の感触を確かめると、木の柵に放り投げた。お腹はいっぱいのはずなのに不機嫌に泣き始める。授乳のまえに紙おむつはとり替えてあった。また始まったのだ。理由のわからない二十分おきの泣き声である。これをとめるには、ベビーカーにのせて外にでるしかないのだった。明日の締切までの貴重な時間が、大幅に失われてしまう。

真紀はため息をついて、アルミサッシの四角い空を眺めた。曇ってはいるが、まだ雨は降りそうにない。しかたない、いってくるか。のろのろと立ちあがると、ひどく手間がかかる赤ん坊との散歩の準備を開始した。

いつもの散歩コースは簡単だった。路地を抜けて神楽坂にでて、そのまま矢来町《やらいちょう》のほうにのぼっていく。坂をあがり切ったあたりで右に曲がり、白銀《しろがね》公園でひと休み。その後は、適当に買いものなどをしながら、神楽坂の反対側をゆっくりともどるのである。

真紀はベビーカーの研究には余念がなかった。ネットで評判のいいアメリカ製の三輪バギータイプに決めたのだ。大型でとりまわしには苦労するが、車輪がおおきくて段差ののり越えは楽である。スピードもでるようになっている。ジョギングにも対応できると広告ではうたわれていた。なによりタイヤには自動車と同じように高圧の空気がはいっているので、のり心地が抜群だ。

その夕方、真紀は雨の日用のビニールカバーで高級ベビーカーを包んで、三十階を一気に降下した。耳の奥に違和感を感じるのは、赤ん坊でも同じなのだろう。エレベーターのなかで、息子に語りかける。

「ミツルくん、あーって叫んでごらん」

おかしな顔をしたまま、赤ん坊は意味不明の声をあげた。これから地上におりるのがわかるのだろう、急に上機嫌になる。男の子はちいさなてのひらで、ビニールカバーを調子をとってたたきだした。

「はいはい、もうすぐお外ですよ」

真紀は腕時計を見た。午後四時。さっさと散歩をすませて部屋にもどろう。ＮＨＫの子ども番組が放映されている六時までは、真紀の仕事のコアタイムである。大股でずんずんと坂をのぼりながら考えていたのは、ただひとつの疑問である。

（どうして、こんなことになったのだろう）

真紀が誠二と結婚したのは、三十四歳のときだった。

知りあったのは友人の紹介で、口の悪い者は合コンで出会ってお手軽に結婚したと冗談をいった。だが、実情はまるで違っていたのである。三十歳をすぎた独身の女友達のあいだでは、遊びではなく真剣に出会いの場づくりがおこなわれていた。合コンというより、限りなくお見あいに近い月二回の食事会である。

ふたりとも結婚してすぐに子どもがほしかった。お互いにひとりっ子だった夫婦の理想は三人である。真紀の年齢を考えると、そう時間的なゆとりはなかった。最初の二年間は、避妊せずにただ通常のセックスをしていた。結婚した翌年に一度流産をしている。あせりを感じ始めたふたりは、産婦人科にそろって診てもらった。どちらにも異状はないという。韓国人の人気俳優に似た若い医師はいった。

「不妊治療の技術は日進月歩ですが、年齢的にまだ時間があります。もうすこし自然な方法で試してみませんか」

思いだしても、真紀は腹が立った。医師のいう自然とはいったいなんだったのだろうか。病院帰りにわたされたのは、排卵検査薬だった。つかいかたは妊娠検査薬と同じである。トイレで尿をかけ、青い線が浮かんだら、その日が排卵日。妊娠の可能性がもっとも高まるその日から五日間、欠かさず毎日セックスすること。それを毎月飽きずに繰り返す。それが医師のいう自然な方法だった。

セックスレスではなかったが、三十代後半になって回数は自然に減少していた。誠二も元からそれほど欲望は強いほうではない。自然な方法には、愛情も欲望もおたのしみもはいりこむ余地はないのだった。排卵痛が激しい真紀の体調が悪くても、誠二が仕事でどれほど遅くなり疲れていても、ふたりはカレンダーに丸をつけるためだけに、無理やりセックスをおこなった。意志の力で義務的に遂行する行為は無味乾燥で、自分が受精用の試験管にでもなった気がするのだった。いくら誠二にふれられても、まるで準備が整わない。身体の芯から乾き切ったままである。二日目からはローションをつかわなければならなかった。あの不自然なぬめりを思いだしただけで、目のまえが暗くなる。

充を妊娠したのは、自然な方法を試して一年半後のことだった。あきらめかけて、より高度な不妊治療にしようかと話しあっていた時期だったので、誠二と真紀は飛びあがるほどうれしかった。

ベビーカーから興味深そうに神楽坂の商店街を眺める赤ん坊に目をやった。妊娠はほんとうに自分たちの意思では、どうにもならないことだ。どこか雲のうえにいる誰かに授かるというのが、やはりただしい表現なのかもしれない。

それなのに、絵に描いたようには妊娠も出産もうまくはいかなかった。いじわるな誰かが、真紀の運命をもみくちゃにしてたのしんでいるようだった。予期せぬことの連続だったのである。

美容院、カフェ、花屋、和菓子屋。充はとおりすぎる店先が、どれもめずらしくてたまらないようだった。シートから身をのりだして、手を伸ばそうとする。真紀は安全ベルトを目で確認して、横断歩道の段差を勢いよくのり越えた。

三十代後半の妊娠だった。

メガネをかけた医師は、あまり刺激を与えないようにと真紀に注意した。運動は避けて、なるべく安静にしているようにという。結婚した翌年に一度流産していたことが、問題だったらしい。流産は癖になりやすいし、若い母親のような体力もない。本来なら軽い運動が必要な時期に、真紀は医師のいいつけを守り、三十階の部屋にこもった。一日に一度も地上におりない日が続いた。自分の身体のなかに幼い命を抱えて、空高く漂うように生きる。ソファに横になったまま、本やテレビを流し見てすごしたのである。それは不思議な時間の流れかただった。重さや熱をもった肉体というより、花粉や胞子にでもなって、空にさまようようだ。

妊娠中を思いだして、真紀はひとりで笑った。体重は十五キロも増えてしまったけれど、あのころはまだ楽だった。気にしなければならないのは、医師からのダイエットの注意くらいだったのである。赤ん坊は身体のなかにいるうちが、生まれてきてからよりもずっと楽なのだ。息をしている赤ん坊というものは、でたらめに手がかかる生きものだった。

神楽坂を百円ショップの角で右に折れる。路地には昔の東京のにおいがした。子どもたちの歓声が、遠くきこえてきた。日が沈むのが遅くなったこの季節では、まだ多くの子どもたちが白銀公園で遊んでいた。区営のおおきな公園である。ブランコに砂場に築《つき》山《やま》、夏は浅瀬の児童用プールもある。子どもの歓声の半分はフランス語だった。神楽坂にはフランス語学校が古くからあって、フランス人の居住者が多いのだ。子どもたちは日本語と異国の言葉で、ちゃんと意思をつうじて遊んでいた。

中央にある築山のまえにならんだベンチに腰をおろした。東南アジアからきたメイドが、白人の子どもたちの面倒を見ている。ヨーロッパの人間は、どこにいっても暮らしかたを頑固に変えないものだ。

コンクリートの築山のむこう、灰色の曇り空にメゾン・リベルテがそびえていた。自由の家か。真紀にはそのとき超高層マンションが、巨大な監獄に見えた。自分を縛りつけ、いつもそこに帰るように脅迫する檻である。今も見えない鎖が、あの建物の300 6号室から真紀の足首に伸びているのだ。

決してはずすことのできない鎖は、生後十七カ月の男の子の形をしている。

医師のいいつけを守っても、トラブルを避けることはできなかった。

真紀はのちに心の底に刻むことになるだろう。どれほどリスクを回避しても、生きることの危険をすべて避け切ることは、誰にも不可能だ。満月のように丸い腹が突然痛みだしたのは、妊娠八カ月目にはいったばかりの早朝である。脂汗を流して苦しんでいると、誠二があわてて救急車を呼んでくれた。

かかりつけの産婦人科にむかうと、緊急入院だという。切迫早産で、母子ともに出産の準備が整っていないので、危険な状態である。帝王切開の同意書にサインを。真紀は目のくらむような痛みのなかでも、誠二のボールペンが震えていたのをはっきりと覚えている。

手術自体は簡単だった。違和感はあっても、硬膜外の麻酔で痛みはない。異常に静かな出産だった。赤ん坊は真紀からとりだされても泣かなかったのである。マスクのしたで医師の顔つきが変わったのがわかった。看護師が計量器のまえで叫んだ。

「八百七十グラム。男の子です」

体重が三桁しかない未熟児である。真紀の目のまえが暗くなった。医師はほんの一瞬、赤ん坊を真紀に抱かせると、すぐに奪いとっていった。

「精密検査をして、すぐに保育器のなかにいれます」

真紀と誠二はそれから数カ月、保育器の透明なケース越しに息子と対面することになった。

子どもたちの歓声がきこえるなか、真紀はすこしだけ泣きそうになった。

この子が無事でさえあれば、ほかにはなにもいらない。あのときはそう思っていた。まだ新しいマンションも、自分の仕事も、それどころか、この命だって代わりにさしだすと誓った。若い医師から結果を知らされたのは、数日後だった。

赤ん坊のちいさな頭蓋骨が写ったレントゲン写真。前頭部がおかしな形に盛りあがり、そのなかに白く濁った固まりが見える。そのイメージを見たとたんに、誠二は思い切り真紀の手をにぎり締めてきた。

「軽度の水頭症です。水を抜く手術は簡単なものですが、脳圧が高くなっているので、運動障害が残るかもしれません」

その言葉に真紀は涙もでなかった。泣けるうちは、まだ幸福なのだ。ほんとうの悲しみは灰のように乾いて重さのないものだ。灰の悲しみは、全身にとりついて、肌の表を埋め尽くす。世界と自分を切り離す悲しみの衣装になる。誠二は怒ったようにいった。

「どれくらいの障害なんですか。歩けないとか、寝たきりとか、そんなたいへんな障害なんですか」

医師は沈痛な顔を保ったままだった。

「障害の程度は予測できません。新生児には、とても強い復元力があるので、障害が残らない可能性もあります。ですが今のところは、なんとも申しあげられません」

白い診察室で誰かが叫んでいた。真紀は誠二に肩をつかまれ揺すられるまで、その声が自分のものだとはわからなかった。

真紀はベビーカーの充に目をやった。

前後に揺らしてやると、うれしそうに目で母親の姿を追う。このちいさな目にも、メスがはいっている。真紀は不思議でたまらなかった。充はなにも覚えていないようなのだ。手術の場面は真紀の頭のなかには、消したくても消せない記憶として焼きついている。

医師から二度目の宣告を受けたのは、生後一カ月以上もすぎてからだった。

「充くんは未熟児網膜症を発症しています。こちらも手術が必要です。つらい手術なのですが、早いうちにすませておいたほうがいいでしょう」

あのころの苦しみや悲しみを思うと、真紀の身体はいまだに震えるのだった。それでも充は幸運だった。網膜と、頭の水を抜く二回の手術をのり切って、元気に育ったのである。医師による検査でも、運動障害は見つからなかった。

「きっとまっすぐに成長しようとする力が、病気の力をうわまわったのだと思います。充くんは、とても元気のいい男の子になりますよ」

冷たいとばかり思っていた三十代の医師を、その言葉で真紀は見直したのである。実際には充と同じ状態で生まれて、障害をもつ新生児もいる。充は強い運をもっていたのだと、真紀は冷静に考えていた。それでも、やはり医師からの言葉はうれしかった。充の元気は確かに予言どおりだった。だが、今度は元気すぎるのが問題になった。育児はひとつの件が片づくと、必ずつぎのトラブルがやってくるようにできている。よくできたハリウッド製スリラーのようだ。数珠《じゅず》つなぎのトラブルが、滑らかに息もつかせずに続くのである。

充はひと息で長時間眠ってくれる赤ん坊ではなかった。退院後三ヵ月をすぎても、なにかの拍子に一度目覚めてしまうと、朝まで二十分おきに泣き声をあげたのである。自宅にひとり新しい家族が増える。最初はおおよろこびしていた誠二も、二週間後には寝室を別にすることになった。寝不足では昼の仕事にさしつかえる。もともと一日七時間は眠らないと調子がでない体質だ。

翻訳の仕事は自宅でおこなうので、真紀はひとりきり昼も夜も充と顔をあわせることになった。それが愛するわが子でも、誰かと二十四時間いっしょにすごすのは、たいへんな負担だった。孤独というものの贅沢さを身にしみて理解したとき、真紀は四十歳の誕生日を迎えた。

そして同時に決心したのである。三人なんて、とんでもない。あとふたりの子どもはいらない。医師から危険だといわれたからやめるのではなかった。自分の意思で、子どもは充ひとりで十分だと決めたのである。誠二には医学上の理由しか伝えていなかった。真紀の決心は自分だけのもので、寝室を別にする夫にはもう伝える必要がないと判断したのだ。

夫婦のあいだには、排卵日から強制された五日連続の行為が、いまだに傷として残っていた。性が本来もっていた豊かさやたのしさが、永久に抜け落ちてしまった。誠二の寝室からアダルトDVDを見つけても、もう真紀は妊娠まえのように騒ぐことはなかった。考えてみれば、あのときの怒りは嫉妬よりも不経済にむけられていたのだろう。ティッシュにくるまれ無駄に捨てられる精液。そのなかに受精に適した運動性の高い一匹がはいっている可能性があったのである。

真紀はベビーカーを揺する手を休めて、腰を伸ばすために立ちあがった。充は外の空気を吸ったことに満足したのか、また眠りこんでしまった。毎日見ているからわかるのだが、赤ん坊はネコと同じである。雨の日にはよく眠るのだ。真紀は足音を殺して、すこしずつベビーカーから離れていった。

昔のように公園をひとりで歩きたくなったのだ。真紀は目の隅に充のベビーカーを必ずいれながら、都心にしては広々とした公園をひとまわりした。それだけでなにか長い冒険にでもでた気がする。こうして数十メートル、子どもから離れる。それでどこかしびれるようなよろこびと不安が同時に感じられるのだった。新生児の数が少子化という政治や経済の言葉でばかり語られるのは、なぜなのだろうか。あの高価だけれどセンスのないスーツを着た老人たちには、この社会で赤ん坊を育てることの重さと厳しさを理解できるのだろうか。あの男たちの何人が、自分の赤ん坊のおむつを替えたことがあるのだろう。

真紀はゆっくりとつま先を伸ばして、公園のなかを歩いていった。足元にちいさなサッカーボールが転がってくる。

「お姉さん、とって」

しゃれた外国製のジャージを着た小学生が駆け寄ってくる。きっと母親から中年女性でもお姉さんと呼ぶようにしつけられているのだろう。ジョギングシューズのつま先でボールをとめると、トゥキックで男の子のほうを狙った。小気味いい音を立てて、サッカーボールは飛んだ。

「ナイスシュート」

男の子は胸でボールをトラップすると、ドリブルしながら木々のあいだに消えた。充があの年になるまで六、七年。目がくらむように長い歳月だった。そのとき、自分と誠二の生活はどう変わっているのだろうか。充はどんなことに興味を示す少年になっているだろうか。この子も、好きな女の子を目で追いかけることになるのかな。

ある程度の距離をとることさえできれば、充のこともこうしてやわらかに見ることができた。真紀は曇り空のした、湿った空気を思い切り吸いこんだ。それがわかっていても、実際にどうやって充とちょうどいい距離をとったらいいのかは、また別問題だった。相手は絶対的に自分に依存している。

手を離せば、数日で息をしなくなってしまうほど、か弱い存在だった。

真紀は公園の中央にある不思議な形の築山を見た。ひとりでこの山にのぼったことはまだなかった。引っ越してきたばかりのころ、誠二といっしょに天辺まであがった記憶はある。思い切って、太い鎖を頼りにコンクリートの築山をのぼっていく。靴の裏にはざらざらとした砂の感触があった。

頂上までの十数歩。一歩ずつ真紀は身体を押しあげていった。運動らしい運動は、充を妊娠してからおこなっていない。出産後はセックスさえしていなかった。息を切らして、築山の狭い頂に立つ。

神楽坂は高台なので、緑の木々のむこうには坂したの飯田橋のビルが見えた。ちいさな家と中層のマンションが、灰色の波のように坂を埋め尽くしている。真紀はビニールの雨避けに包まれたベビーカーを見おろした。

突然、充の妊娠を告げられたときのよろこびを思いだす。あのときは、ほんとうに世界のすべてを手にいれたようだった。超音波検診で見たちいさな頭と手も忘れられない。指の数は五本。骨は髪の毛のように細かった。充は心労と苦痛だけでなく、同じ量のよろこびを与えてもくれた。真紀は息子の眠るベビーカーから目をあげて、坂の景色を眺めた。

この一枚の絵のような風景のなかに、どれくらいの数の赤ん坊がいるのだろうか。どの母親もきっと一度はこの子の苦しみを、代わりに自分に与えてくださいと、誰かに祈ったことがあるはずだった。同じように、どの母親も一度はこの子が地上から消え去ってくれたらと願ったことがあるはずだ。

自分だって、確かに母親として充のことは愛している。けれど、それと同じくらい自分自身や翻訳の仕事や、ひとりきりですごす時間も大切だった。母親は子どもを産んだというだけで、自分という存在のすべてを子どもにさしださなければならないのだろうか。

真紀は梅雨の重い曇り空のしたで、築山のうえに立ち尽くした。

きっといつか、自分なりの愛しかたを見つけてみせる。そして一度見つけたら、誰にも文句はいわせないし、わたしは絶対にその方法を変えないだろう。自分だけのやりかたで、ひとりきりの息子を愛し続けるのだ。

明日の夜明けまで、あと十二時間。真紀は公園の片隅にぽつりと落ちたベビーカーを遠く見つめると、闘いに帰るために築山に切られた階段を駆けおりた。

指の楽園

「壁紙の色ねえ、どうしようかしら」

会議テーブルのむこうで、今回のクライアントがおっとりといった。飯田橋にある中堅建築会社の応接間である。得意なのは中の上クラスの注文住宅だ。添崎《そえざき》うららは厚さが十センチ近くある壁紙サンプルのカタログを開いた。ベージュ、オフホワイト、アイボリー。すでに床材の色にあういくつかのページにポストイットがつけてある。

「あっ、そうだ。添崎さん、まだいってなかったけど、うちはカーテン決めてるの」

うららは頭を抱えそうになった。この銀行員の中年夫婦は、今度はなにをいいだすのだろうか。恐るおそるきいてみる。

「どのような色と素材でございますか」

二十年まえに流行ったソバージュの髪形をした妻がいう。

「ほら、オペラハウスの緞帳《どんちょう》みたいな、赤いビロードのカーテンあるでしょう。あれがわたし、子どものころからの夢だったの。自分の家の一番いい場所には、あれをさげようって」

ため息をつきそうになった。うららは笑顔をこわばらせたままいう。

「ドレープをたくさんたたんだ、赤というより臙脂《えんじ》色のカーテンですか。リビングルームの窓に。素材はビロードで」

メモをとる手が荒っぽくなってしまった。顔をあげて、夫のほうに助けを求める。

「そのカーテンももちろんいいと思うのですが、前回の打ちあわせで、室内のトーンは明るく開放的な感じにしたいというお話でしたね。それでフローリングの床材を、メープルにお決めになったと思うのですが」

ほぼ白に近い明るい床に、赤黒いビロードのカーテンなどあうわけがないではないか。せっかくのコーディネートがめちゃくちゃになる。大手都市銀行の秘書室長だというエリートは、困った顔をした。土曜日でも灰色のスーツに同系色のネクタイをしている。きっと休日も外出のときはネクタイがないと不安なのだろう。

スーツの仕立てはしっかりしているようだった。もしかしたら、オーダーメイドかもしれない。けれど、そのスーツには決定的に欠けているものがあった。センスと洋服を着るたのしみである。どれほど高価なものでも、それがなければすべて台なしだった。

「困ったな。家のことはすべて、うちのにまかせているから」

自分の家のことなどまるで関心がないように、夫は平然といった。プロなのだから、ここは笑顔だ。うららは気あいをいれなおして、つとめて明るい声をだした。

てみますけれど」

「どうなさいますか。カーテンが絶対なら、それを中心にもう一度プランを考えなおし

「そのときはどんな感じになるのかしら」

うららはさっと頭のなかで組みあわせをつくった。インテリアコーディネートは、大好きで得意な仕事である。

「床は濃い茶色か黒に近いこげ茶がいいと思います。建具もドアもそれにあわせて、重厚感のあるもの。壁は逆にコントラストをつけて、白に近くする。それなら、赤いビロードのカーテンもしっくりくると思うのですが」

古民家を移築したカフェのような内装を、うららは想像してみた。そこに一カ所だけ、濡れたように光をはねる赤いカーテンがさがっている。間接照明に切り替えた夜には、悪くない絵になることだろう。

「困ったわねえ。わたし、床が暗いのも、部屋が暗いのも嫌なの。でも、カーテンは長いあいだ考えていた夢ですからねえ」

得意の悩みモードにはいったようだった。この夫婦はこうなると長いのである。夫は迷っている妻にまったくといっていいほど、助け舟をださないのだ。ドアノブひとつ、キッチンカウンターの人造大理石一枚に、二時間悩んだこともある。

うららは心のなかで深くため息をついて、銀行員夫妻のつぎの言葉を待った。

「それは……たいへんでしたね」

佳山渉《かやまわたる》が親指を僧帽筋にゆっくりと押しこみながらそういった。体重をかけるときには、力のある男性でも息がとぎれるのである。

「凝ってますね、うららさん」

「あたりまえよ。結局は最低のセンスのカーテンを中心に、プランニング全部やりなおしなんだから」

ベッドに開いた穴から、うららはオフホワイトの大理石を見おろしていた。床に使用されているのは純白の一級品ではない。クリームがかった、すこし濁った色の石だった。イタリアではなく中国からの輸入品だろう。うららは一平方メートルあたりの床材の単価を知っていたが、それでも石は石である。安手のタイルなどより、気分はずっとよかった。

このマッサージハウスを選んだのは、内装の豪華さのせいもあった。仕事柄、手を抜いたインテリアやセンスの悪さを許せないのだ。「エンジェルハンズ」は早稲田通りにうららが見つけた店だった。三十分で三千円、一時間で五千五百円と料金は安くない。だが、完全個室制になっているのと、ゆったりと横になれるマッサージベッドがあるのがお気にいりなのだ。おまけに佳山渉がいる。

肩こりのひどいうららには、マッサージが欠かせなかった。しかし、マッサージにも相性というものがある。誰もが上手だという人に頼んで、うまくいかないこともあれば、下手くそという噂なのに、なぜかうまくほぐしてくれる人もいる。マッサージはセックスといっしょなのだ。四十歳になったばかりのうららは、心のなかでそう考えてみる。

渉は十五歳年したの二十五だった。若い男に身体をふれられるのは、性的な意味あいなどなくても、なぜか心の浮き立つものだった。渉はとり立ててハンサムではないが、素直な性格ととてもいい声をしていた。深く響く男性的な低い声ではなかった。すこし乾いてかん高いが、角の丸い中性的なトーンである。きいているだけでうっとりとするような、うらら好みの声だった。

「ほんと。なんでかしらね。会社で偉い人ほど、家では奥さんの尻に敷かれてるみたいなのよ。銀行員とか公務員とか、法律関係とか。堅い仕事の人ほど、家のなかでは妙にぎらぎらしたセンスの悪いカーテンなんかをさげてる」

渉の指が背骨と肩甲骨のあいだにある細い筋肉のあいだにはいってきた。ストレスのたまる打ちあわせのあとでこちこちに硬くなる部分だ。

「今日のお客さんはひどかったんですね。うららさん、いつものところが古いゴムみたいに固まってますよ」

仕事の話はもうたくさんだった。この店で三十分リラックスしたら、また会社にもどってつぎのコーディネート資料をつくらなければならないのだ。

「それよりも、由香利《ゆかり》さんとはどうなの」

「ああ、あいつとはまあまあうまくいってますよ」

「よかったじゃない」

うららは会話も相性だと思っていた。相手の話が、心からおもしろいと感じられることが大切なのだ。若い男の話は、結婚十二年目の夫の話と違って、とても興味深かった。無理せず、自然にたのしめるのである。

「このまえ、草加《そうか》のラブホテルにいってきました。すごかったですよ」

渉はしっかりとマッサージを続けながら、心地いい声で話し続ける。すごかったのはホテルなのか、由香利なのか、うららにはよくわからなかった。

「もう部屋が広いんです。ぼくならバスルームだけで、暮らせるくらい。五十インチのプラズマディスプレイもあるし、五、六人で楽にはいれるジャグジーもある。床なんて黒と白の石がチェッカー模様に張ってあるんです。カーテンとか、バスタオルとか、リネンなんかもすごくセンスがよくて。地元じゃあ、大人気なんですよ、そこのラブホ」

若いカップルが、部屋のあちこちを見て歩く様が想像できるようだった。かわいい話である。うららはうめくようにいった。

「なんだか、すごくいいお部屋みたいね。そこは一泊いくらなの」

涉は残念そうにいう。

「いやー、高いんですよ。一万円なんです」

「それ、ふたりで」

「ラブホですよ、カップル料金に決まってるじゃないですか」

人が暮らせるほどのバスルームがついた豪華な部屋で、ひとり一泊五千円なのだ。安すぎるほどだが、自分とこの若い男とは金銭感覚が違っているのだろう。このあたりにも年齢の差は明らかだった。

「じゃあ、休憩料金は」

「二時間で七千円だったかな。泊まりのほうがずっとお得なんです。だから、みんな宿泊料金に切り替わる夜十一時に行列をつくるんですよ」

センスのいいラブホテルにはいるために、大人しく列をつくって順番を待つ若い恋人たち。想像してみると、悪くない絵だった。うららが夫の晋一郎《しんいちろう》と最後にその手の場所にいったのはいつのことだっただろうか。結婚して最初の二年ほどは、そんな甘いデートもあった気がする。子どもがほしかった時期もあったけれど、ふたりのあいだには結局できなかった。ラブホテルどころか、夫と最後にセックスしたのがいつかさえ、もう覚えていないくらいである。

マッサージ用のベッドに開いた穴にうつぶせに顔をいれたまま、うららはぼんやりとリラックスしていた。耳のうしろにあるツボを押されると、自然に口が開いて、よだれを垂らしそうになった。あわてて、口元を引き締める。

「うららさんも、いってみたらいいのに」

なにをいっているのだろう。マッサージの気もちよさに黙っていると、渉が重ねていった。

「うららさんも、そこのラブホいってみたら、どうですか」

「誰といけばいいの。今さら結婚相手とはいけないよ」

残念そうに渉はいう。

「そうかあ。だったら、ぼくがいっしょにいきましょうか」

胸のなかがかき混ぜられるような言葉だった。渉はなんでもないという調子でいう。

「うららさんの仕事にもきっと役に立つと思うんだけど。だって、すごく若い人に人気のあるホテルだから、内装を見ておくだけでも参考になるでしょう」

若い男は無邪気で、残酷だった。性的な欲望のかけらも見せずに、そんなことをいうのだ。ここでもし自分がイエスといえば、どうなるのだろうか。ラブホテルの見学を終えたら、渉は礼儀として年うえの女のことを誘うのだろうか。うららが考えているあいだも、男の指先は頭皮のなかに隠れたツボを小気味いいほど的確に押さえていく。

「参考になるのかな。だってうちの会社にくるようなお客は、みんな中年以上だから。

ベッドルームだって、そんなに派手な内装はいらないのよ。異性と盛りあがるより、ぐっすり眠れたら、それでいいっていう感じ」

実際に神楽坂の高層マンションにある自分の寝室がそうなのだった。3LDKのひと部屋をつぶして、メインの寝室を広くしたのだ。ツインベッドをおくためである。新しいマンションを買ったら、ベッドを別々にしたい。それが、晋一郎とうららの共通の願いだった。今、アジアンリゾート風の寝室には、籐のヘッドボードのついたベッドがふたつ、距離をおいてならべてある。あのマンションを購入してもう二年ほどになるけれど、うららが夫のベッドで寝たことはなかった。

「そういうのが、やっぱり普通なんでしょうか。結婚ってバカンスじゃなくて、毎日の仕事と同じなのかな」

うららは腕時計を見た。金とステンレスのコンビのロレックスは、自分自身へのご褒美で勤続十年目に買ったものだ。まもなくマッサージの時間は終了だった。うららはさばさばといった。

「それが、わかればよろしい。渉くんも結婚する資格がとれたってことね」

「もう夢、壊さないでくださいよ」

若い男は華やかに笑って、うららのすこし肉のつき始めた背中を、最後に軽くたたいた。

その夜、晋一郎が帰ってきたのは真夜中すぎだった。有楽町線の最終電車の時間である。大企業は軒なみ最高益を更新中というけれど、夫の勤める中堅どころの化学会社は主力の繊維が不振で、作業量が増えるばかりで給料はあがらなかった。晋一郎も四十をすぎて、いつ早期退職の声がかかるかとびくびくしながら仕事をしている。

セックスレスだからといって、うららが見たところ浮気のにおいも感じられなかった。男性の場合、仕事の不調はそのまま欲望の不調につうじるものらしい。夫から若いころのぎらつくような雰囲気が消えて久しい。晋一郎はもち手の壊れた書類カバンを投げだして、ソファに横になった。うららが貯金をはたいて買ったベージュ色の革製だ。背もたれに汗の染みなどつけないでくれるといいのだが。

「あー、また同期のやつが会社辞めた」

晋一郎のぐずぐずが始まった。結婚は素晴らしいものだ。男の職場への文句も毎日もれなくついてくる。うららは慣れているので、あたりまえのように返した。

「自分から辞めたの、それとも肩たたき」

晋一郎はがばりとソファから起きあがった。つきあって最初の数年間で徹底的に鍛えたので、スーツのラインは悪くなかった。淡いブルーのソリッドタイに、青と白のストライプのドレスシャツ。Vゾーンの色あわせも完璧だ。これで疲れ切った四十男の顔さえしていなければ。若いころは晋一郎もそれなりにいい男だったのである。

「両方だ。同期は十六人いたのに、半分になっちまった。おれはどうするかなあ」

うららの声は自分でだそうと思っていたより、冷ややかになる。

「いいんじゃないの、そのままで。うちはとも働きだし、別に冒険しなければいけないこともないでしょ」

そんな思い切りも勇気もないくせに。心のなかでつけたして、うららはリモコンで薄型テレビのチャンネルを替えた。

その夜、夫とは別のベッドで横になり、うららは若い男の指を思いだしていた。渉の指には晋一郎にはない力がある。ふれられただけで全身がリラックスして、心のこわばりまでほぐしてしまう力だ。

うららはこの半年ほどで、エンジェルハンズにつかった金額をアバウトに計算した。ゆうに十万円はマッサージ代に消えている。それでもまったく高いとは思わなかった。仕事と結婚のストレスと肉体疲労の解消、それに加えて異性へのほのかな欲望まで満たしてくれるのだ。それが月に二万円程度なら、むしろ安いくらいではないだろうか。

うららは夫のベッドがある方向とは逆に寝返りを打った。昼間きいた言葉を胸のなかで繰り返してみる。

(ラブホテル、ぼくがいっしょにいきましょうか)

バリのリゾートをイメージした寝室の暗がりで、うららはひとりにやついてしまった。人生の半分が終わったとはいえ、女なんてカンタンだ。ちょっと気になる異性のひと言で、幸福な気もちで眠りにつけるのだから。うららは自分で耳のうしろのツボを押してみた。痛いだけで、まるで気もちよくならない。誰かにふれられるのと、自分でさわるのは、なぜこんなに違うのだろうか。あたりまえだが、決してこたえのでない謎を最後に考えて、うららは眠りに落ちた。


つぎにマッサージにいったのは、翌週の金曜日のことだった。出先の打ちあわせから、どっさりとサンプルを抱えて、エンジェルハンズに駆けこんだのである。予約はむかう途中でいれた。受付をすませると、渉が個室に案内してくれる。

マッサージベッドに横になるまえに、うららはいった。

「やっぱり仕事してると、いいこともあるよね」

ジャケットを脱いでうつぶせになると、大判のタオルが全身にかけられた。若いマッサージ師はいう。

「今日は元気ですね」

渉は身体の調子を確かめているようだ。掃くようにあちこちのポイントを押さえていく。

「背中も腰もやわらかで、調子いいみたいです。なにがあったんですか」

うららはいつものように大理石の床にむいていた。正面でなく背中越しなのが、会話をスムーズに運んでくれるのかもしれない。

「めずらしいお客さまがいるの。三重マル。若くて、お金もちで、おまけにセンスがいい。今日の打ちあわせはすごくたのしかった」

その夫婦はカットハウスのオーナーで、三十代なかばでチェーンを五軒まで増やしたという。仕事柄ふたりともよくインテリアのことを知っていた。

「普通ならうちみたいなところじゃなくて、有名な建築家かなんかに頼むはずなんだけど、たまたまうちの会社に友人がいてね。もうチーム全員がやる気になっちゃって、仕事だか趣味なんだかわからないくらい。ご主人と奥さんで好みがぜんぜん違うんだけど、それもまたおもしろいの。それぞれ自分の個室の注文が気がきいていてね」

渉の様子がおかしかった。いつもなら身体をのりだす勢いで話にくいついてくるのに、冷静にマッサージするだけである。

「どうかしたの、渉くん」

無理してだした明るい声が、背中に落ちてくる。

「なんでもないです。そのおふたりはどんな好みなんですか」

気にはなったが、うららは自分の話に夢中だった。

「男性のほうは、真っ白で清潔な手術室とか永遠に完成しない図書館みたいな部屋がいいって、しゃれたコンセプトをいうの。個室なんていうとたいしたことないようにきこえるかもしれないけど、広さは四十畳くらいある。そこに真っ白な大理石を敷きつめて、壁の二面は白いボックスシェルフがあわせて十五メートルくらい伸びてる。日本にもあいうお客がたまにいるんだよね。家具選びも、内装材のコーディネートも、腕が鳴るなあ」

返事がきこえなかった。背中を押す指にも、心なしかいつもの力が感じられない。うららは妻のほうの北欧インテリア好みの話はやめにして、声の調子を硬くした。

「なにがあったの、ちゃんと話してみなさい。わたしがきいてあげるから」

肩甲骨と背骨のあいだを押していた渉の指先から、力が抜けていった。声がかすれる。

「ありがとうございます、うららさん。こんなこと、お客さまにいうなんて、最低なんですけど……」

若いころは自分だってずいぶん最低の相談をあちこちにもちかけたものだ。

「だいじょうぶ。わたしはきちんと相談にのるし、お店の人には絶対いわないよ」

渉の指に力がもどってくる。熱をもった指先が、背中からゆっくりと首筋にあがってきた。

「由香利のことなんですけど」

「あらっ、先週はうまくいってるっていってたじゃない」

「それが実はぜんぜんダメで。別れ話を切りだされたんです。もうたのしくなくなったし、そんなに好きでもない。ほかに気になる人ができたわけじゃないけど、終わりにしようって」

若い女のいいそうな嘘だった。うららはずばりという。

「それなら別れたほうがいいね。だって、彼女、嘘をついてるもの」

「えっ」

渉の指に急に力がはいった。

「痛い。渉くん、気をつけて。それくらいでショックを受けてたら、もう恋なんてできないよ」

「どういう意味ですか」

雲のような文様を浮かべた白い大理石が見える。うららの声は冷静だ。

「だから、ほかに気になる人がいないなんて、嘘に決まってるでしょ。由香利さんも渉くんと同じで二十五歳だよね。その年の女が、つぎの保険も打たずにステディと急に別れるわけないもの。渉くんはひどいことしそうなタイプじゃないし」

ため息が背中にあたって、マッサージが再開された。

「やっぱり、そうですか」

「もちろん。ということは、追っかけてもムダってことね。古い恋は新しい恋には勝てない。つらいのはわかるけど、気もちを切り替えて、新しい恋を探したほうがいい」

涉はしばらく黙りこんだ。熱心にマッサージを続ける。背中から肩、首筋にかけて、これほどたくさんの筋肉とツボがあるのが、うららは不思議だった。

「大人の女性って、いいですね」

涉にしみじみといわれて、うららは胸をつかれた。内心のあせりをさとられないように、軽く受け流してみる。

「そう」

「ええ、ぜんぜん違います。話をしていてもすごくたのしいし、相手への気づかいもある。話題だって豊富だし、センスもいい。由香利なんて、うららさんには遠くおよびません。身体だって張りがあって、すごく若いし」

うれしい言葉だった。うららも肉体の衰えは気になっていたのだ。肉のついた背中、張りをなくした胸、丸くふくらんだ腹。その自分を若い男は魅力的だという。照れたように涉の指先に力がこもった。

「このまえ、ぼく、冗談でいいましたよね。人気のラブホテルの話です。あのあと、本気で考えてみたんです」

今度はうららが黙る番だった。自分もあの夜眠りにつくまえに想像したとは、口が裂けてもいえない。

「……そんなふうになったら、なんだか素敵だろうなあって。ぼくにガールフレンドがいなくなって、きちんとお願いしたら、いっしょにいってくれるのかなあ。それとも、やっぱりガキは嫌かな。うららさんには、素敵なご主人もいるし。でも、ぼくはうららさんといっしょに、あの部屋ですごしてみたいな」

冗談めかしているが、渉が真剣なのは声の震えと指の力でわかった。荒々しい心臓の鼓動は、背中まで届いていないのだろうか。うららは急に心配になった。個室のベッドで横になったまま、身体がうれしさのあまり浮きあがりそうだ。失恋したばかりの若い男のことだ。このままオーケーをだせば、きっと自分たちはそういう関係になってしまうだろう。その場になって、渉を拒否するような力は自分にはない。

しばらく時間の流れがとまったようだった。渉は汗をかきながら、熱心にマッサージを続けてくれる。最初のときめきが収まると、うららは微笑んでいった。自分でも驚くくらい女性らしい、やさしい声だった。

「誘ってくれるのは、すごくうれしいよ。なんだか、わたしもまだまだ現役だなって感じがするしね」

それだけで、渉にはわかったようだった。淋しそうな笑い声がきこえる。うららは気もちをこめていった。

「それはやめておこう。わたしも渉くんとそんなことしたら、すごくたのしいだろうと思う。でも、こうして個室で渉くんに会って、秘密の話をたくさんして、マッサージをしてもらう。それが最近のわたしの生きがいなんだ。もしそういう関係になったら、絶対に今みたいな自然な雰囲気はなくなっちゃうと思う」

指先がうららの頭蓋骨のツボを点々と押さえていく。人の頭は丸いのだ。痛みと快感が同時にそのことを教えてくれた。

「残念だけど、うららさんのいうとおりかもしれない」

「そうだよ。男と女って、最後までいくと、急にむずかしくなる。だから、そうはならないけど、でも色っぽいボーイフレンドっていうのが貴重なの。セックスなんて、簡単にできるものね」

晋一郎の顔を思いだして、うららは自分のことを笑った。セックスは夫婦間以外でなら、容易なものだ。もしかしたら、晋一郎とはもう一生そういうことはないのかもしれない。渉はなにかが吹っ切れたようだった。声にも指にも張りがもどってくる。

「わかりました。じゃあ、これからも毎週必ず店にきてくださいね。ぼくもうららさんと会うのがたのしみなんだから。もっといいお客さんになってくれなきゃ、またラブホに誘っちゃいますから」

うららは手を伸ばし、首のうしろをマッサージする若い男の手をにぎった。骨の硬い引き締まった指だった。渉も一瞬だけ強くにぎり返してくる。しばらくして手を離すと、うららはマッサージハウスの床を眺めながら、華やかに笑った。

「仕事も結婚もストレスだらけだって、いったでしょう。ここにこないわけがないじゃない。渉くんにも会えるし、マッサージも必要なんだもの」

そうなのだ、せっかく見つけた指の楽園なのだ。しかも会社からも、自宅からもほんの五分でかよえる究極のリゾートである。来週は奮発して一時間コースを予約しよう。うららはうっとりと目を閉じて、若い男にマッサージを受けながら、来週のスケジュールを考え始めた。

愛がいない部屋

失敗した……

自分の人生が決定的に失敗してしまったと人が気づくのは、いったいいくつくらいのことだろうか。それはやり直しがきく早いほうがいいのだろうか。それとも遅いほうが、かりそめでも幸福な時間にひたることができていいのだろうか。

須藤愛子は三十五歳で、自分の人生は完全に失敗してしまったと考えていた。もう逃げ場はないのだ。目のまえのコーヒーカップをのぞきこむ。黒々と熱い液体はなにも映していなかった。底の知れない淵のように濁っているだけである。いつもなら砂糖とミルクをいれるのだが、手を伸ばすのさえ面倒だった。

愛子は自分の住むマンションのロビー階にいた。ここは大型の集合住宅なので、エントランスにはいくつかの店がだされている。カフェ、コンビニ、本屋に花屋。ロビーにはアルミニウムの屋外用テーブルセットがならんでいた。愛子はひとりだった。小学校二年生になる由梨絵《ゆりえ》を送りだしてから、部屋にもどるのが嫌なのだ。あの部屋は自分のものではなく、夫の英之《ひでゆき》のものだ。神楽坂に越してきてからもう三年になるのに、まだここが自分の住まいだとは思えないのである。

のろのろと目をあげて、午前中のロビーを眺めた。本屋も花屋もまだ開店準備にいそがしいようだった。コンビニは昼も夜も変わらず、蛍光灯の青い光を冷たくこぼしている。まだ時間が早いので、カフェの客もわずかだった。愛子は空きテーブルをひとつおいて席をとる老女に気づいた。毎日のようにそこに座っている女性である。

オレンジのカーディガンのうえに、ショッキングピンクのストールを巻いていた。ロングスカートは明るいグレイだ。華やかなイタリアの色づかいだった。年齢は六十代後半だろうか。姿勢はいい。椅子の背にもたれず、背中は棒をとおしたようだった。ロビーの大理石の広がりに目をやって、穏やかに笑っている。

愛子は自分の格好を見おろした。ジーンズに黒いシャツ姿である。英之と結婚してからは、派手な色の服は着ていなかった。夫が露骨に嫌な顔をするからである。地方の裕福な旧家に育った英之は、人を型にはめて決めつけるところがあった。女はこうであるべきだ。人妻はそんなことはしないものだ。子どもをもつ母親は……

まだ若く、英之に恋をしていたころは、そんな相手の望みにあわせるのが、愛子もたのしかった。きっと我慢はしばらくのあいだだけ。いっしょに暮らすようになれば、ゆっくりとでも大好きな相手を変えていけると信じていた。だが、男という生きものは頑固だった。決して自分を変えようとはしないのだ。それどころか、嫌な部分ばかり雑草のようにしつこく伸ばしてくる。

目のすみで鮮やかなピンクが動いた。老女が席を立って、レジにむかった。ヒールが石張りの床を打つ音が、高い天井に響いている。うしろ姿は年齢の半分ほどにしか見えなかった。あの年になったとき、自分はどうなっているのだろうか。愛子は手つかずの一日をまえにして、途方に暮れていた。あとは機械のように主婦の仕事をこなしていくだけである。いったん男への愛情が冷めてしまえば、それは永遠に続く労役と変わらない。犯してもいない罪のために自分に科せられたうんざりするような繰り返しである。愛子は伝票を手にすると、洗濯機をまわすために三十階の部屋にもどった。

翌日の同じ時間、愛子は同じカフェにいた。服は前日と同じままである。化粧もしていないし、髪も寝起きの状態だった。違っているのは大ぶりのセルフレームのサングラスをかけていることくらいである。

由梨絵は朝食の最中も、愛子のほうを見なかった。エレベーターをおりてオートロックの扉を抜けるとき、最後にちらりと母親の顔を見あげただけである。口のなかでつぶやくようにいった。

「ママ、がんばってね。いってきます」

赤いランドセルを背負った八歳の娘にはげまされる母親。いったい自分はどんな生活を送っているのだろうか。サングラスのレンズは濃いアンバーで、ガラス屋根から光の落ちるロビーが、夕暮れのように見えた。実際に一日の終わりだったらいいのに。今夜は英之が残業で遅くなるから、由梨絵とふたりで夕食をすませて、早く眠ってしまえるのだ。寝室はずいぶんまえから、夫とは別々だった。

昨日の老女が、今朝はとなりのテーブルに座っていた。きっとこのマンションの住人なのだろう。山吹色に近いイエローのカットソーに、ミントグリーンのスカーフ。この人のクローゼットはずいぶん華やかに違いない。

「あなた、昨日もいましたよね」

誰にむかって話しているのだろうか。ぼんやりしていると老女は笑った。

「昨日はサングラスはかけていなかったけれど。それに、今朝はため息が昨日よりずっと多いみたい」

どんな苦しみも、人の身体を離れて一歩も外にはでていかないのが不思議だった。愛子は無理をして、明るい声をだした。

「なんだか家事が面倒で、この店でぼんやりする癖がついちゃいました。目を傷めているので、こんなものをかけたままでごめんなさい」

老女は目を細めて笑った。顔中がしわだらけになるが、そんなことは気にしていないようだった。

「わかりますよ。わたしは毎日このカフェにいて、人のことを観察してるから。あなたの家は、たいへんなようね」

このロビーを抜けるのは、毎朝子どもを送っていく数分間ほどである。それでなにかがわかるほど、自分は暗い顔をしているのだろうか。だとしたら、このマンションのほかの住人にも事情を知られていることになる。愛子は恐るおそるいった。

「そんなにはっきりとわかりますか」

口元を引き締めて、老女はいう。

「わかりますよ。だって、昔はわたしもあなたみたいな顔していたから」

コーヒーカップに伸ばしかけた手が空中でとまってしまった。老女は笑顔にもどって自己紹介した。

「わたしは三十二階に住んでいる山之辺《やまのべ》咲《さき》といいます。あなた、パートナーの人とうまくいってないでしょう」

英之のことを、ご主人とも旦那ともいわなかった。この人は年齢の割には、新しい考えを持っているようだ。愛子が黙っていると、老女はいう。

「さっき、オートロックのところで耳にはさんだの。ママ、がんばってねなんて、なかなか泣かせるところのある子だった。あなたはなにがあっても、あの子を幸せにしてあげないといけないのよ」

なにげないひと言が、胸に刺さった。まずいと思いながら、サングラスのしたで目が熱くなる。あわてて人さし指をレンズのしたにいれて涙をぬぐおうとしたが、最初の一滴は愛子が思っているより早かった。黒いシャツの胸に落ちて、灰色の染みをつくる。咲の声はやわらかだった。

「いいのよ。泣きたいなら、泣けばいい。全部話してしまったらいいの。あなた、このマンションにお友達いないんでしょう」

昨夜からの苦しみに、愛子は耐えられそうになかった。ゆっくりとサングラスをはずし、視線をあげる。咲は首を横に振ったが、とくに驚いているようには見えなかった。

「男っていうのは、ほんとにね……」

愛子の左目には眼窩《がんか》の形に沿って、三日月形の青あざがあった。縁は黄色く肌を染めて、中心部にいくほど黒く鬱血《うっけつ》した血の色が濃くなっていく。昨夜、酔って帰ってきた英之になぐられた跡である。ちらりと周囲に目をやり、咲がいった。

「サングラスをおかけなさい。ここではなんだから、うちに遊びにいらっしゃい。話はうえで」

自分の分と愛子の伝票をさっとつかむと、咲は立ちあがった。無理に装った平静さがいったん破れてしまうと、愛子は相手に抵抗する気にもならなかった。咲は精算をすませると、愛子の先に立ってロビーを歩き始めた。ヒールの音は昨日と同じように鮮やかだった。愛子のスニーカーは、湿った音を立てるだけである。

咲が自分のトラブルに気づくのは当然だと、愛子は思った。幸福な人間と不幸な人間。それは足音をきいているだけでわかるのだから。


三十二階まで高速エレベーターで八十秒足らず。愛子は狭い箱のなかで、自己紹介をした。三十三階建てのこのマンションでは、そこが実質的に最上階だった。このうえにはパーティルームと展望室、それに来客用の宿泊施設があるだけだ。部屋の鍵を開けると、咲はどうぞといった。愛子のところとは玄関の造りからして、まったく異なっている。標準の仕様ではクリーム色の大理石が張られているはずのたたきが、黒い御影石《みかげいし》だった。右手のシューズクローゼットは茶色の合板ではなく、朱塗りの引き戸になっていた。

「わたしは昔から神楽坂に住んでいてね。このマンションの地権者のひとりなの。それで、わがままをいわせてもらった。あなたは、ずっとわがままなんていってないでしょう。女はそれじゃあ、ダメよ。さあ、あがって」

フローリングの廊下をまっすぐにすすむ。ほかに人の気配はしなかった。咲はひとり暮らしなのだろうか。リビングへつうじる扉も格子柄の和風のものである。

「今、お茶をいれますからね。そこに座って」

リビングではなかった。咲のところは居間である。八畳をふたつつなげた畳の続き間にはカーペットが敷いてある。そのうえに木製のテーブルと椅子、それに和風のソファセットがおかれていた。座るようにいわれたのは、年季のはいったダイニングテーブルだった。日本茶をもって咲がやってきた。愛子はもうサングラスをはずしている。

「ちょっと暗いかしら」

そういって、咲は障子を半分ほど引いた。和紙の建具のむこうには、まばゆい三十二階の空が広がっている。愛子はお茶をすすった。甘い玉露だ。咲は黄色のカットソーの袖をまくった。

「さて、きかせてもらいましょうか。あなたのパートナーはいつからそうなの」

ずばりと切りこんでくる。愛子はおかしくなってしまった。

「さっき、自分も同じだったっておっしゃってましたよね。咲さんも、そうだったんですか」

咲はしかめ面でうなずいた。

「思いだしただけで、ぞっとする。あのころはDVなんて言葉はなかったの。夫は妻に暴力を振るうもので、それは家庭内の教育だと思われていた。だから、周囲も見てみぬ振り。でも、わたしのことはあとでいいから、愛子さんからお話しなさい」

なにからいえばいいのだろうか。このことは肉親にも、友人にも話してはいなかった。

近いほどいえなくなることが人にはあるものだ。愛子は窓の外に目をやった。ほんの二階分しか違わないのに、なぜか秋の空が広々と目にしみる。

「夫の英之と出会ったのは、わたしがプログラマーとして働いているときでした。もう十一年になります。うちは大手家電メーカーの子会社で、役所にシステムを納入していたんです。英之はクライアントの窓口で、なにかトラブルがあると業者のわたしたちを守ってくれました」

そうなのだ。あのころ英之は颯爽《さっそう》としていた。あたりがやわらかで、頼りがいがあり、仕事もよくできたのだ。愛子の会社の女子社員のあいだでは、ちいさいけれど英之のファンクラブができたほどだった。咲はからかうようにいう。

「いい男で、やさしかった」

愛子がうなずくと咲はそっぽをむいた。

「あの手の男は、みんな最初のうちはそうなのよ。それで、てのひらを返す」

そうなのだ。おたがいに相手を気にかけているのがわかって、英之のほうから声をかけてきた。場所は仕事の打ちあげでいった新宿の居酒屋だった。プロジェクトが終了し、来週からは会えなくなると淋しく思っていた帰り際、英之に誘われたのである。送っていってもいいかな。うれしさを隠して、愛子はあいまいにうなずいた。あのときにもどれるなら、さっさとひとりで帰ったことだろう。

ずっと隠していたことを誰かに話すのは、ただうれしかった。愛子の言葉はとまらなくなった。

「それで一年ちょっとつきあって結婚しました。わたしは二十五歳、彼は二十八歳。ちょっと早いかなとは思ったけれど、どうせこれ以上の相手はもうあらわれないだろうと。彼の実家が裕福なこともあって、わたしは仕事も辞めてしまった。もともとプログラマーの仕事は好きではなかったものですから。でもその段階では、英之があんな人だとは、わかるはずがなかったんです」

咲は渋い顔をしてうなずいている。

「所帯をもった最初のうちは、敵も尻尾をださないものよ。それで」

愛子は最初の嵐を思いだしていた。それだけで身体が震えるほどの恐怖と怒りがわいてくる。

「結婚して二年目でした。普段はまじめで内気なくらいなんですけど、あの人、酔うとすこし性格が変わるところがあって」

言葉の途中で咲が口をはさんだ。

「わたしはそうは思わないねえ。地がそっちのほうで、いつもはなんとかその地を隠して生きてるだけなんじゃないかしら」

いわれてみれば、そうなのかもしれない。あの暗さと凶暴さを、爽やかな包装紙でなんとかくるんでいただけなのだろう。しかし長く生きていれば、誰でも最後に自分の地金がでてくるものだ。とすると人生の後半にはいって、ますます英之と暮らすのは困難になるのではないか。暗い気もちで愛子は続けた。

「役所でなにかつらいことがあったのは確かなようです。その夜帰ってくると、今では覚えていないくらいのつまらない理由で、わたしにねちねちと難癖をつけ始めました。酔っているし、疲れてもいるみたいだなあ。しばらくハイハイと適当に相手をしていたら、いきなり頰を打たれたんです。なにが起きたのかわからなかった。ただ右の頰が火がついたように熱くなっただけで。一度手がでると、あの人自身にもとめられないようでした。目がつりあがって、別人みたいな顔になって」

右の頰を両手で押さえていると、頭をたたかれた。両腕で頭を抱えると、わき腹をこぶしでなぐられる。腹とわき腹を守ると、腰を蹴り倒される。ほんの数瞬のうちに、愛子は床で胎児のように身体を丸めていた。夫の手足は愛子の腕のすきまを狙って、身体のやわらかなところを突いてくる。ああ、この人は自分を失うほどとり乱していても、人を打つことだけは冷静なのだ。愛子は遠ざかる意識のなかで、そう思ったことを覚えている。

気がついたのは明けがただった。英之が泣きながら愛子を介抱していた。全身を絞ったタオルでふき、腫《は》れのでているところには氷をのせていた。ごめん、ごめん。男はひたすら謝るばかりだった。だが愛子は抱き締められても、もう英之の身体に腕をまわすことはできなかった。

「そうなの。つらかったねえ」

咲はつぶやくようにいって、新しいお茶をいれに台所にいってしまう。愛子は深呼吸をして息を整え、涙をふいた。自分でも怒りの涙なのか、憎しみの涙なのかわからなかった。

新しい玉露をひと口のんで、愛子はいう。

「こんなに暗い話を午前中からしてしまって、すみません」

「いいから、話しなさい。あなた、全部ださなきゃダメなのよ。わかる？　膿《うみ》も血も痛みも全部一回外にだすの。それをやらなくちゃ、なにも始まらない」

愛子は自分がなにかを始められるとは思わなかった。やり直しのきかないことに、決定的に失敗したのだ。話したからといって、どうなるものでもないだろう。けれど、胸にあふれる思いをとめることはできなかった。

「しらふのときはまじめでやさしい人なんです。でも酔うとなにをするかわからない。英之は変わってしまいました。それから数カ月に一度は暴力をふるうようになったんです。ちょうど同じころ、由梨絵の妊娠がわかりました。計算してみるとあの嵐の前日、最後にした夜にうちの子は受精したみたいです」

「今もその調子は変わらないの」

愛子は左目をさわった。目のまわりが腫れているので、かすかに左の視界が狭くなっているのだ。

「ええ。最近はちょっとずつ間隔があくようにはなっていますけど」

咲の声にも怒りがこもっていた。

「あの子、由梨絵ちゃんはそんなときにどうしてるの」

胸が痛むのは自分のことより、由梨絵の涙を見るときだった。思いだすだけで、胸が苦しくなる。

「理由もなくわたしといっしょに謝ったりして、なんとか夫をとめようとしてくれます。たいていは夫が子ども部屋に閉じこめるんですけど」

咲は厳しい顔でうなずいている。愛子は訴えるようにいった。

「でも、一番つらいのは暴力ではなく、言葉なんです。おまえを生かすも殺すも、自分しだいだ。子どもを抱えて、もうひとりでは生きていけないだろう。誰のおかげで、こんな部屋に住めると思ってるんだ。実際、マンションは夫の実家がお金をだしたもので、そういわれるとなにもいい返せないんですけど」

咲の声は怒りを秘めて、冷たくなった。

「あなた、いくつ」

「三十五になりました。娘は八歳です」

「ああ、そう」

あきれたようにいって、咲は台所に消えた。手に寿司屋のメニューをもってもどってくる。

「もうお昼になるからね。愛子さんはにぎりでいいの」

愛子はそこまで世話になるつもりはなかった。こうして誰にもいえなかった話をきいてもらっただけで十分である。

「いいえ、もう長居しましたから。そろそろ失礼します」

咲が厳しい顔でにらんできた。

「それで憎い男の部屋に帰って、またひとりで悩むの。まだあなたは半人前なんだから、お昼くらい素直におごられなさい」

確かに愛のない部屋にもどるよりは、他人の部屋のほうがずっとよかった。黙ってうなずくと、咲は上機嫌で出前の電話をいれた。特上にぎり二人前。咲は受話器をおくといった。

「愛子さんのことをきいてるばかりじゃあ、不公平ね。すこしは年寄りの話でもさせてもらいましょうか。わたしが離婚したのは、あなたの年だった。三十五歳、子どもはいなかったけどね」

咲はかすかに笑って、焦点のあわない遠い目をした。きっとすぎた時間のどこかを眺めているのだろう。愛子はゆったりとくつろいで、つぎの言葉を待った。こんなことは、英之相手にはもう何年もないことである。

「やっぱり暴力がひどくてね。今考えると気の弱いちいさな男だった。そのころは女をなぐる男なんて別にめずらしくもなくてね。ただの夫婦喧嘩だって、誰も助けてくれない。骨を折ったり、何週間も足を引きずるような怪我をしたって、みんな知らん振りだった」

「そんなにひどかったんですか」

ふふふと含み笑いをして、咲は木の皮を張った天井を見あげた。

「あなたのパートナーと違って、金づかいも女遊びも激しかったしねえ。別れて大正解。その気になって腹をくくれば、女だってなんとかひとりで生きていけるものよ。昔だって、そりゃあ楽じゃなかった。お手当ても安いし、夜なべ仕事も多かったしね。わたしは神楽坂の商店街で二軒かけもちで働いていたことあるもの。昼も夜も寝ずに働いて、裏町にちいさな家を買ったの。再婚したときには、四十をすぎていたね。今度の男はよくよく調べたから、失敗しなかった。男なんてね、少々頭が足りなくても、健康でちゃんと働いて、女に思いやりがあれば、それで十分なのよ」

この部屋には孤独な雰囲気がある。最初にあがったときから、愛子は気づいていた。

「でも、今はおひとりですよね、咲さん」

せいせいしたように老女はいう。

「ええ。誰と結婚しても、どうせ男が先に死ぬものよ。二番目の亭主がなくなったのは、このマンションが建つちょっとまえだったねえ。あの世にいくなら、この窓からの神楽坂の景色を見せてやりたかったけどね。まあ、空のうえから見てるなら同じかもしれないけど」

愛子は目のまえの女性を見あげる思いだった。こんなふうに強くなれたら、どんなにいいだろう。だが、自分とは条件が違うのだ。

「咲さんは離婚したときに、ひとりだったんですよね。子どもを連れて、ひとりで生きていくのはむずかしいです。今は不景気だし、求人もすくない。由梨絵のためにも、両親がそろっていたほうが」

「それで、毎朝、がんばってって子どもに励まされるのかい。八歳ならもうわかってるはずだよ。あなたがどんな思いで暮らしているか。いいことを教えてあげる」

咲はいたずらっぽい目で、愛子を見つめた。

「確かに離婚したときはひとりだった。でも、再婚したときには子どもがいたのさ」

「再婚相手の人とですか」

けらけらと笑い飛ばして、咲は手を振った。

「違うちがう。再婚相手でも、まえの夫でもない。父親は別な人。今でいう不倫かな。別な女の夫だった人だから」

愛子は言葉をなくして、咲の明るさを見ていた。壁のインターホンが鳴って、咲が立ちあがる。身体にはまだ少女のような切れがあった。いったいこの人はいくつなんだろう。咲は液晶画面で確認すると、寿司屋の出前にオートロックを開けてやった。もどってくるときに、そっと愛子の肩に手をおいた。

「その人はさすがにいい男だったねえ。結婚してくれなくてもいい。自分のことを好きでなくてもいい。だから一週間だけいっしょにいてくれ。そう口説いたら、実際にそのとおりにしてくれた。男の子はひとりで、ちゃんと育てたよ。男に頼ったりはしなかった。再婚したときには、わたしも子連れだったんだ」

咲はそういうと鮮やかなグリーンのスカーフをはずし、愛子の首に巻いた。

「ねえ、愛子さん。あなたは終わったと思っているけど、まだなにも終わっちゃいないのよ。だって、あなたは自分のことをかわいそうに思っているだけで、なにも自分で始めていないんだから。わたしは今年で七十になる。離婚した年の倍になっちゃった。でも、最初の三十五年よりも、後半の三十五年のほうが、苦労もあったけど、ずっとたのしかったねえ。なにより自分の力で生きていた。女にはみんなその力があると思うんだけどね」

インターホンが二度鳴った。咲は寿司をとりに玄関にいってしまう。ひとりで和室に残されて、愛子は椅子のうえで固まっていた。咲の言葉はゆっくりと身体に沁みてきた。正面をむいたまま、ぽろぽろと涙が頬をこぼれる。愛子はもう涙をぬぐわなかった。恥ずかしいとも思わなかった。それは怒りや恐怖が生む涙ではなかったからである。

咲はもどってくると、寿司桶を愛子のまえにおいた。新しい日本茶もいれてくれる。涙をぬぐいながら、愛子はいった。

「どうもありがとうございます。でも、どうして、わたしなんかにこんなによくしてくれるんですか」

「まあ、いいから、いいから。寿司はにぎった瞬間から味が落ちるのよ。さっさとたべましょう」

白身の好きな愛子は、ヒラメ、カンパチ、タイと箸をすすめた。咲は中トロ、赤身、大トロとまぐろづくしである。愛子はお茶をすすっていった。

「離婚しようと決心したとき、きっかけはあったんですか」

咲はイクラの軍艦巻きをひと口でほおばった。食欲は半分の年の愛子と変わらないようだった。

「そうだね、ある晩、ひどくなぐられて、痛みで夜中に目が覚めた。横で寝ている男の顔を見たんだよ。急にむらむら憎らしくなって、台所から包丁をとってきた。こんなに長い柳刃だよ」

咲は袖まくりした前腕をあげて見せる。

「それでひと思いにブスッとやろうとしたら、男が眠りながら泣いていたんだよ。すまない、すまないってね。寝言をいってね。そのとき、わたしは思った。この人も弱くて、ちいさな人間だ。かわいそうな人だ。でも、この人が傷ついているのは、わたしの責任でもないし、そのせいでわたしの人生を棒に振るわけにはいかない。相手が哀れに思えたときだね。ちゃんと別れられると思ったのは」

愛子の涙腺は壊れてしまったようだった。柳刃包丁でも、寝言でも、かわいそうな人でも涙がとまらなくなる。いつかほんとうに自分も、自分の生きかたを決められるようになるのだろうか。きちんとした仕事は見つかるのだろうか。三十五歳をすぎて、子もちでも、誰か自分を好きになってくれる人はいるのだろうか。不安でたまらなくなったが、その不安さえ愛子はいとしいのだった。すべてはひとりで生き直すことを前提にした不安だったのだから。

昼食を終えてから、さらに詳しく愛子は英之との夫婦生活を話し続けた。いい思い出も、悪い思い出も、いったん口にするとすべての重さが半分になっていくようだった。七十年間の咲の人生も波瀾万丈だった。親子ほど年の離れたふたりの女は、時間を忘れて話し続けた。

最後に壁の時計を見て、愛子がいった。午後二時すぎである。

「こんな時間になってしまって。咲さん、ほんとにどうもありがとうございました。また、お邪魔しにきてもいいですか。由梨絵が帰ってくる時間なので、ロビーにいってやりたいんですけど」

「あら、そうなの。じゃあ、わたしも買いものがあるから、いっしょにいくよ」

咲が外出の用意をするあいだに、愛子は三十二階の空を見つめた。秋の午後の明るく晴れた空である。雲は刷毛《はけ》で塗ったように高い空を淡くぼかしている。最低の気分だった朝から、まだ数時間しかたっていなかった。ほんの数時間でも、ときに驚くほどの変化が起きることがある。

「さあ、いきましょう」

愛子はミントグリーンのスカーフを巻いたまま軽がると立ちあがった。身体のなかに力がみなぎっている感じは久しぶりだった。

ロビーでは由梨絵が不満気な顔で待っていた。

「ママ、遅いよ。インターホンで呼んでも、返事もないし」

謝ろうとした愛子よりも早く、咲がいっていた。

「由梨絵ちゃん、ごめんね。ママはわたしと大事な話があってね、それで遅くなったの」

由梨絵はなんでもないように咲と話していた。

「じゃあ、いっしょにお昼ごはんたべたの」

「そう、白銀寿司の特上にぎり」

「ずるいよー、咲ばあとママばっかり」

再びサングラスをかけた愛子は午後の光のふり注ぐ吹き抜けのロビーにひざまずいた。

「由梨絵、咲さんのことをまえから知っていたの」

小学校二年生の女の子は、気軽にうなずいてみせた。

「うん。うちのこと、いろいろ話しちゃった。ママ、怒ってる」

愛子を不安げに見ていった。

「ううん、ぜんぜん怒ってない。由梨絵はこれからなにがあっても、ママといっしょにいてくれる」

八歳の女の子は澄ました顔でいった。

「なにいってるの。わたしがいなくちゃ、ママはダメじゃん」

声をあげるのはなんとか抑えることができたが、涙はとまらなかった。愛子はひざまずいたまま、しっかりと娘を抱き締めた。咲が愛子の肩をやさしくたたいた。

「これからケーキでも買ってくるから、あとで部屋にいらっしゃい。みんなで三時のおやつにしましょう」

ガラスの自動扉を抜けて、咲の背中が遠ざかっていく。わたしもいつかあんなふうにきれいな背中をして歩けるようになるのだろうか。

「ママ、痛いよ」

愛子は薄く熱い身体を離すと、秋の日ざしのなか手を振る咲に右手をあげた。もうなにかを隠す必要などなかった。サングラスをはずして、周囲を見わたす。いつものロビーがまぶしい光にあふれていた。この光が自分にはずっと見えなかったのだ。きっと光は世界にではなく、人の心にあるのだろう。咲の帰りを待つために、愛子はちいさな手をにぎり、明るいロビーを歩きだした。

あとがき

恋愛短篇集もついに三冊目になりました。

これまでは二十代、三十代と年齢別に書いてきたけれど、今度はどうしよう。では人生のある時ではなく、場所を限定して書くことにしよう。それなら超高層の集合住宅がおもしろそうだな。東京では百を超えるガラスとコンクリートの塔が空をさしています。今の時代を映す背景としてぴったりだし、一棟のマンションに舞台を圧縮することで、さまざまな対比が鮮やかに描けるかもしれない。

タワーマンションが建つ街は、以前住んでいた神楽坂にしよう。その名も「メゾン・リベルテ」。自由の家という名のマンションに住む、そう自由ではない人々の暮らしを、これまでよりすこしだけリアルに書いてみよう。この本はそんな気もちで始めた連作集です。

それが『スローグッドバイ』や『1ポンドの悲しみ』とは、まったく別な味わいになる。自分でもびっくりしてしまいます。スイートなホワイトチョコレートから、砂糖をほとんど使用しないビターなブラックチョコレートへ。百八十度の変化です。

最初の一篇「空を分ける」を書いてから、あとは自然にその流れが続いてしまった。ぼくの恋愛観に変化があったわけでも、実生活で不幸なことがあったわけでもないのに、なぜかひどく悲しかったり、胸が空っぽのまま終わるような物語が集まったのです。小説は書いている当人にも簡単にコントロールできるものではありません。けれど悲しい結末の作品を書くことは、また別な意味でたのしかった。ハッピーエンドの登場人物は、さして心に残っていないのに（あとは勝手に幸せになってくれという感じなのだ）、悲しく終わった物語の人物は抱き締めてやりたいような気もちになるのです。この短篇集に収められた幾人かは、おりにふれて今もどうしているだろうかと気になることがあります。すこしでもしあわせになってくれるといいな。自分がもっている素晴らしいものに気づいてくれるといいな。まったく小説家というのは、おせっかいな人種です。

最後に鉄壁のわがチームのメンバーに、いつもの謝辞を。「小説すばる」の栗原佳子さん、連載中にご結婚、おめでとう。文芸編集部の今野加寿子さん、前作からこの本までに家族がひとり増えましたね。おふたりの存在がなければ、この本はもっと角のとがったものになっていたはずです。どうもありがとう。感謝します。

一冊の本には一軒の家と同じくらい多くの人の手がかかわっています。そのすべてのつくり手に、どうもありがとう。

二〇〇五年十一月　澄んだ晩秋の夜に

石田衣良

解　説

名越康文

僕が石田衣良さんを最初に強く意識したのは、報道番組で、ある事件について発言されていたときのことです。事件をひきおこしたある種の「弱い人間」に対して「努力が足りない」「甘えている」といったマッチョな意見が大勢を占める中、人の弱さを簡単に断罪してしまうことに対して石田さんが見せた静かな怒りが印象的でした。しかも、そうした思いを声高に叫んだり、理論武装して相手を威圧したり、ディベートのように相手の意見を叩き潰そうとは決してしない。相手の意見にじっくり耳を傾けた上で、ちゃんと正面から話をしようとされていた。そうした彼のスタンスはこの短編集『愛がいない部屋』を読んでいても強く感じます。ヒステリックに偏った立場に立つことなく、バランスを保ちながら、できる限り現実を認識していこうという視点がこの小説にはある。

この短編の登場人物たちの多くは自分の人生を生きていないという強烈な後ろめたさに苦しんでいます。そうした感情を石田さんは優しいけれどどこか冷静な筆致で描き出します。「悲しい」「つらい」と登場人物に叫ばせるのではなく、その人物の周りの空気を描き出すことでその苦しみを表現している。「空を分ける」「魔法の寝室」「いばらの城」といった短編には、どうしても人生を展開できない人たちを取り巻く、空間自体の淀《よど》みが表現されています。読んでいてもしんどいくらいのどんよりした濃密な空気が、そこには立ち込めている。苦しみなどの感情は自分の内面で捉えているように思うかもしれませんが、実は自分を取り巻く空気として感じとっているものなのです。自分の人生を振り返っても、絶望というのは、自分の内部の実感というよりは、空気がどんどん重みを増して自分にのしかかってくるような、外部の圧力として感じていたはずです。石田衣良さんはそうしたどこまでも付き纏《まと》ってくる空気を、見事に掬《すく》い上げて表現している。そこに、人生を展開させられないでいる多くの読者が共感し、「分かってもらえた」という感じすらするのだと思います。

どこにも進めずに立ちすくんでいる人々が描かれるこの短編集の中で、「十七カ月」と「愛がいない部屋」の二編に関しては、ある種の「展開」が描かれています。僕の言う展開は、突然ギャングが襲ってきたといった、ありきたりなストーリーの節目のことではありません。ある瞬間に生じた精神の亀裂のようなものをそう呼んでいるのです。絶望的な状況は変わっていないのに、突然その状況はもう自分にとっての悩みではなくなっていたり、逆に問題なんてないはずなのに、ある日突然絶望を感じるというようなある種の断絶が僕の考える展開です。それを、決して〝きまぐれ〟ではなく、まるで必然のごとく表現してしまうことが、作家のひとつの資質のような気がしているのですが、この二編ではそうした「展開」が、極少ないページ数の中で表現されています。外側から内部に侵入してこようとする強烈な絶望感に対抗できるのは、内部に沸き起こる展開だけです。何かを感じるのは自分自身で、世界が変わるきっかけは外側からやってくるというのはまったく逆で、何かを感じるのはむしろ外側の空気であり、世界を変えるのは自分の内側の変化なのです。展開は〝思いなおす〟とか〝人生をやり直す〟といった意思の力によってもたらされるものとも違います。なぜならそこには自分の意思の力が及ばない断絶があり、しかもある瞬間一気に変容するものだからです。そういう展開を僕たちは無意識のうちに経験しているんです。ですが、それがどうしてもできない人が病気になってしまう。精神的な病理のほとんどはある種の執着・固着であり、同じところに留まってしまって展開ができない状態なのだと思います。

「十七カ月」の主人公である母親は、赤ん坊と四六時中一緒にいるしかない状況に、疲弊し圧迫されています。ある時、彼女は散歩中の公園で、周りの状況に注意は払いつつも、不意に赤ん坊との物理的な距離を取ってみる。でも離れる距離なんて、せいぜい二十メートルから三十メートルです。ひさしぶりに一人きりで公園を一周して、築山に登る。ただそれだけの、変哲もない行為です。要するに目に見えるかたちの事件なんてそこにはない。しかし、その瞬間、彼女の内部にはものすごい展開が起こっているわけです。内側の展開は、大体沈黙の中で起こります。言葉にされにくいはずのその瞬間がこの「十七カ月」には見事に描かれていると思いました。

表題作である「愛がいない部屋」もまた一見静的なストーリーです。夫との生活に絶望している主婦が、老女に話しかけられて、自分の問題を吐露しはじめるという静かな物語なのに、実際に読んだ人は激しい程の内面の運動とスペクタクルを感じるはずです。そして、老女のちょっと非日常的な告白をとっかかりにして、にっちもさっちも行かない状況の中にいる主婦が自分の足で踏み出そうと決心するという、まさに彼女の世界が変わる瞬間が説得力を持って描かれています。小説に限らず、絵本でも童話でも神話でも、本を手にし、ページをめくるとき僕たちが潜在的に期待するのは、世界が変わるという予感です。そういう意味で、この短編集の最後を飾る「愛がいない部屋」は読者の期待に正面から応えてくれる作品ではないかと思います。そうした読者の期待を、小手先の目新しさを目的に変に裏切ったりすることなく応えようとする姿勢こそ、石田さんの優しさであり、包容力であると感じました。

現代の人々の空気や、今の感情を描き出したこの短編集を読み終えて、僕が強く感じたのは、いかに僕たちが「愛」というものに毒されているか、ということでした。正確に言えば、「愛」そのものではなく、「愛」という言葉に支配されていることを痛感したのです。この小説の主人公たちもそうですし、日本の多くの人が愛を求め、愛に苦しんでいます。その渇望感や苦しみの根底には、「愛」という言葉があるというのが僕の考えです。「私はあの人を愛しているんです。でも、あの人は愛してくれているんでしょうか」という人たちの大多数が、愛を乞う人たちです。自分は誰かに必要としてほしいのです、欲してもらいたいのです、と正直に言えばいいのに、「愛している」という言葉のために、自分の行為の意味が見えづらくなります。

これはあくまで個人の感覚なのですが、僕は愛という言葉が日本に入ったことは最も大きな害悪だったと、真面目に思う時があるのです。欧米の文化への憧れが日本の文化を衰退させたとか、アメリカの合理主義が日本をだめにしたとか、日本のプライドを復権させようという人々が声高に言うことがありますが、僕は「愛」ほど善の顔をして日本を徹底的に支配したものはないと思う。日本人は明治時代以前「愛」という言葉を使わず、その瞬間の気持ちを自分なりに考えたり、表現したり、感じ取ったりしてきたはずです。しかし、「愛」という言葉を得て、日本人は愛の中身についてなんら問わなくなった。「愛している」ということは絶対に正しいと信じることで、その実態のほとんどが支配であり、不安であり、呪縛であるということから目を背けてしまっているのです。そして、「愛」を免罪符のように振りかざして、自分の未熟さを誤魔化し、相手との関係を絶えず編みなおしていく努力を放棄している。たとえば、「愛してる?」という言葉で相手との関係を確認しようとするより、「今朝のパンの焼き方どうだった？」「ああ、おいしかった！」という何気ないやり取りから汲み取る方がより正確に関係を実感できるのではないかと思うのです。

現代の日本人が人生において怠惰で、身勝手になってしまったのは、国民全体が「愛」という言葉のトリックにひっかかってきたためだ、とこの小説を読んで僕は勝手に確信しました。登場人物たちは複雑な問題で悩んでいるようで、「自分は愛されているのだろうか、自分は愛しているのだろうか」という疑問がその根っこには常にある。しかし、その「愛」という言葉で括ろうとしている感覚や経験は、それぞれにまったく違うものであるということが、この作品群を読むとよく分かります。愛とはたったひとつの至上のものであるという、何の根拠もない言葉だけの同一性に我々は呪縛されている。その呪縛の中で、あらゆる人が混乱し、方向性を見失い、人との間に壁を作り、大切な人に対してクリンチを繰り返しているんです。石田さんがリアルに描き出す、登場人物たちの部屋に立ち込める、真綿で首を絞められるような重たい空気。その闇の奥には、舌なめずりをしながらにんまりとしている権力者になった「愛」が「私は善だ」とつぶやいているような気がします。そうした一見無害で、実に魅力的な「愛」という言葉の裏側の恐ろしさについて、石田さんは優しい文章の中でそっと警鐘を鳴らしているようにも感じます。

実は僕は十年ほど前から愛という言葉に警戒心を持っていて、「愛なんかまったく知らないというところからはじめよう」とよく言っていたんです。でも、この短編集を読み進めるうちに、「もう、愛という言葉を捨てよう」とまで一瞬思い詰めました。この小説に描かれている「現代の現実」はそこまで切迫している。みんなが愛に苦しんで、愛が足りないと思い、愛を乞い続けている。しかし、もう一歩進んで、愛という言葉なしで、内側にある様々な思いを相手に伝えてみることで、もう一度相手との関係を紡ぎなおしてみませんか、というすごくシンプルな問いかけが、この本を閉じたときに浮かびました。そう考えてみると、「愛がいない部屋」というタイトルもポジティブな意味であるようにも思えてきます。愛が欠如した部屋ではなく、愛という呪縛が解けた部屋ととれば、言葉に囚《とら》われることなく、もっと愛の中身についての話をしようというメッセージにも感じられてくる。どこか悲しい結末の物語を集めた短編集ですが、僕には石田さんからの新しいメッセージが込められた作品であるように思えてならないのです。

この作品は二〇〇五年十二月、集英社より刊行されました。

集英社文庫

石田衣良

1ポンドの悲しみ

他人の幸せのためだけに働くウエディングプランナーの由紀。本を読む男を好きになる千晶——。30代の女性たちに訪れる、恋のさざなみを綴る珠玉の10話。傑作恋愛小説集。

集英社文庫

石田衣良

エンジェル

何者かに殺され、幽霊となった投資会社の若きオーナー・純一。記憶を失った彼は真相を探り始める。だが、全ての謎が解けた時、あまりにも切ない選択が待ち受けていた——。

集英社文庫

石田衣良

娼年《しようねん》

うつろな日々を送る大学生のリョウは、ボーイズクラブのオーナー・御堂静香と出会い、娼夫となる。様々な女性が抱く欲望の深奥を見つめた20歳の夏を鮮烈に描き出す傑作。

集英社文庫

愛《あい》がいない部屋《へや》

2008年6月30日　第1刷
2009年10月6日　第4刷

定価はカバーに表示してあります。

著者　石田衣良《いしだいら》

発行者　加藤　潤

発行所　株式会社　集英社
東京都千代田区一ツ橋2-5-10　〒101-8050
電話　03-3230-6095（編集）
03-3230-6393（販売）
03-3230-6080（読者係）

印刷　凸版印刷株式会社

製本　凸版印刷株式会社

フォーマットデザイン　アリヤマデザインストア　　マークデザイン　居山浩二

ISBN978-4-08-746304-0 C0193